T5-AGQ-036

LE DIMANCHE
DU SOUVENIR

DU MÊME AUTEUR

Tout ce qui est solide se dissout dans l'air, Belfond, 2015 ; 10/18, 2017

Vous pouvez consulter le site de l'auteur à l'adresse suivante :
www.darraghmckeon.com

DARRAGH McKEON

LE DIMANCHE DU SOUVENIR

Traduit de l'anglais (Irlande)
par Carine Chichereau

belfond

Titre original :
REMEMBRANCE SUNDAY
publié par Sandycove, une marque de Penguin Books UK

Retrouvez-nous sur www.belfond.fr
ou www.facebook.com/belfond

Éditions Belfond,
92, avenue de France, 75013 Paris.
Pour le Canada,
Interforum Canada, Inc.,
1055, bd René-Lévesque-Est,
Bureau 1100,
Montréal, Québec, H2L 4S5.

ISBN : 978-2-7144-7614-2
Dépôt légal : août 2023

Belfond | un département **place des éditeurs**

place
des
éditeurs

« Qu'y a-t-il de lui en moi, qu'y a-t-il de moi en lui ? »

Brian KEENAN,
An Evil Cradling

1

SUR MON BUREAU, il y a un livre ouvert : *Van Gogh à Auvers*. Cet ouvrage revient sur les deux mois que Vincent Van Gogh passa à Auvers-sur-Oise en 1890, après être sorti de l'asile de Saint-Rémy-de-Provence. En arrivant à Auvers, il était encore fragile mais reposé, optimiste, prêt à travailler, fasciné par la lumière du Nord fraîche et mate. Au cours de son séjour, il logea à l'auberge de la famille Ravoux. Ils lui donnèrent une petite chambre et lui réservèrent un accueil chaleureux. Par gratitude envers leur hospitalité, il fit le portrait d'Adeline Ravoux, leur fille aînée, âgée à l'époque de dix ans.

C'est un tableau étrange, déconcertant. Et on a beau le regarder encore et encore, ce sentiment d'étrangeté ne diminue pas. Adeline y est vêtue de bleu, et Van Gogh a choisi de peindre le fond dans les mêmes tons, ce qui donne au tableau un caractère hallucinatoire : le visage de l'enfant, ses cheveux et ses mains semblent flotter vers l'extérieur, vers le regardeur. Cet effet – le terme est faible – est tout à fait intentionnel. À son arrivée à Auvers, Van Gogh écrivit à sa sœur : « J'aimerais peindre des portraits qui seraient telles des apparitions aux yeux des gens dans un siècle. » Mais ce n'est pas le style du tableau qui me trouble. C'est le visage d'Adeline. Ce n'est pas le visage d'une enfant.

Sur la page annexe, il y a une photo en noir et blanc d'Adeline, vers la fin de sa vie. Elle est assise sur une chaise et contemple une reproduction de son portrait. La ressemblance entre le visage âgé de la photo et celui prématurément vieilli du tableau est si forte que c'en est profondément déstabilisant. Sous la photo, cette citation d'elle : « La violence de ce tableau m'effrayait. Je ne voyais pas la ressemblance avec moi. C'est seulement beaucoup plus tard que j'ai réalisé, en regardant une reproduction, qu'il avait réussi à percevoir la femme que je deviendrais dans la petite fille que j'étais à l'époque. »

Depuis peu, je suis sujet aux crises d'épilepsie. J'en fais tous les jours à présent. Une force intérieure ou extérieure s'empare de mon corps et, soudain, je me retrouve par terre, en proie à des tremblements, des convulsions. En général, je reprends conscience allongé sur le dos, épuisé, désorienté, vidé, parfois du sang dans la bouche, ou encore le pantalon trempé d'urine. J'avais quinze ans lorsque les premières crises sont apparues, j'habitais en Irlande du Nord, c'était à la période la plus dure des Troubles. À l'époque, les crises passaient vite, elles étaient sporadiques, puis elles sont restées en dormance pendant des décennies, et il y a quelques mois, elles sont revenues me terrasser, à l'âge de quarante-neuf ans.

Pour tenter de comprendre tout ça, j'ai beaucoup lu, j'ai cherché des explications, mais aucun des livres qui s'empilent sur mon bureau ne m'a apporté le moindre éclaircissement. La science moderne n'est pas plus près d'identifier le siège de la conscience que ne l'étaient les Grecs anciens. On a tous la sensation d'habiter notre corps, et pourtant ce qu'on voit lorsqu'on regarde à l'intérieur – organes, tissus, tendons – ne nous semble pas familier. Si nous ne savions pas que les êtres humains font l'expérience du monde, nous ne pourrions jamais le déduire à partir des neurosciences. Rien dans la façon dont réagissent les neurones ne suggère que ces cellules soient plus spéciales que, par exemple, les globules rouges. Les neurones sont des cellules qui font leur boulot de cellules (générer des flots d'ions : sodium, potassium, chlorure, calcium), c'est-à-dire qu'elles libèrent des neurotransmetteurs.

On a beau parler de conscience, on ne sait pas par où commencer à la chercher. Peut-être n'est-elle même pas localisée dans le cerveau, mais extérieure à nous-mêmes, et l'organe qui se trouve dans notre tête n'est-il qu'un intermédiaire. Cette idée n'est pas neuve. Aristote pensait déjà que l'âme est – brièvement – identique à l'objet de notre expérience. D'après lui, quand on voit une pomme, notre conscience et la pomme sont constituées de la même substance, ce qu'il nomme la « forme » de la pomme.

Tous les rapports scientifiques que j'ai lus sont si froids, si loin de ce qu'on éprouve pendant la crise, de l'*expérience* même de la crise. Ils la décrivent, mais ne parviennent pas à exprimer ce que c'est que de la vivre, cette sensation d'habiter un corps faillible qui devient la proie d'une tempête électrique. Moi, c'est chez Dostoïevski, le grand chroniqueur de la condition humaine, que je trouve du réconfort.

Dans *L'Idiot*, il décrit le moment qui précède la crise – à travers le personnage du prince Mychkine – comme aboutissant au « plus haut degré d'harmonie, de beauté, de mesure, de réconciliation, à une fusion pieuse, extatique, la plus haute synthèse de ce qu'est la vie ». Je reconnais la nature de cet état dans ces mots. J'éprouve souvent un moment de lucidité suprême avant que mon corps ne succombe aux convulsions, alors passé et présent se mêlent, le temps et la mémoire deviennent des entités physiques et spatiales, libérées des coffres de mon cerveau pour irriguer mon corps et envahir la pièce où je me trouve. Peut-être que la crise est le prix à payer pour faire l'expérience d'un monde sans catégories, pour nous débarrasser des mensonges que nous nous créons afin de surmonter le quotidien.

Tout ce que je raconte ici est une sorte d'explication, de confession peut-être : j'ai moi aussi mon apparition personnelle. Un homme qui vit avec moi. Un compagnon. Un ennemi.

Je ne le vois pas, je ne puis le toucher, mais je sais qu'il est là. Ce n'est pas un fantôme qui m'apparaît de temps à autre, mais un visiteur du passé, un souvenir incarné. Il – ou, plus exactement, son ombre – arrive derrière moi, murmure dans mes membres, prononce une phrase au-dedans de mon crâne, avec cet accent de Fermanagh aux douces voyelles. C'est une invention de mon imagination. Et pourtant non. Il fait partie de moi. Et pourtant non. Il est présent. Et pourtant non. Il flotte quelque part dans cette région inférieure située entre la réalité objective et la perception instinctive.

La *forme*. Le mot me paraît exact. Chaque après-midi, une forme vient à moi, ou bien je deviens cette forme, et je me retrouve mis à nu, encore et encore.

2

MON BUREAU, cette pièce, se trouve à Chinatown, à New York. Ce soir, c'est vendredi, le premier vendredi de juin. Je vis au cinquième étage d'un immeuble voisin du pont de Manhattan. La pièce est triangulaire. Je suis assis à mon bureau sous la coupole, là où elle est le plus élevée. Devant moi se trouve une fenêtre, il y en a une aussi sur la droite, et sur la gauche. Celle du milieu donne sur une petite place. À ma droite, la naissance du pont, à ma gauche, Division Street – mon regard porte jusqu'à Seward Park.

Les crises ont recommencé juste avant que j'emménage ici, mais l'étroitesse des lieux n'a rien à y voir. Cet endroit pour moi est comme un abri, un refuge. Je ne paie pas de loyer – un miracle à New York. Une voisine, une amie d'amie, m'a proposé de m'y installer. Selon les règles municipales, il s'agit d'un espace commercial, et elle attend d'avoir l'autorisation pour le transformer en espace d'habitation. Pour l'instant, l'endroit est à moi, c'est mon sanctuaire, une pièce au calme où je peux être tranquille et me souvenir.

Je ne dors pas. Je ne veux pas dormir. À la place, je reste assis là et je contemple la nuit. La ville vit différemment en ces heures, elle perd de son intensité, se fait plus individuelle, plus réservée. Les gens qui traversent la place découragent l'attention des autres en gardant les yeux baissés et s'attardent rarement. Vers minuit, un escadron de glaneurs arrive en quête de déchets à recycler, chacun d'eux poussant un caddie qu'il remplit de bouteilles en plastique et de cartons. Quand j'ai emménagé ici, je croyais qu'ils travaillaient en équipe, et puis j'ai remarqué qu'ils n'interagissaient jamais. Après avoir pris possession d'un côté de la rue ou de la place, ils fouillent les détritus laissés là pour les camions-poubelles. L'un d'eux, toutes les nuits, fait une pause devant la vitrine d'un magasin de location de vidéos. Il s'appuie contre son chariot et regarde pendant vingt minutes un film de guerre asiatique, même s'il pleut.

Je vois les gens sortir de la gare routière sur East Broadway, où arrivent les cars depuis Philadelphie et Washington D. C., tirant leurs valises à roulettes, ou portant leurs sacs à dos, impatients d'aller se coucher. Je vois aussi une limousine avancer vers le petit casino sur Pike Street, progresser précautionneusement à travers la ruelle étroite, sa peinture d'un blanc éclatant formant un vrai contraste avec tout ce qui l'entoure.

Au-delà de la place, en descendant vers l'East River, se trouvent les Vladeck Houses, un vaste complexe d'immeubles construit dans les années 1940. Je passe beaucoup de temps à suivre le mouvement des vies qui s'empilent à l'intérieur. La lumière bleue de la télévision pulse à travers les fenêtres. Je vois des silhouettes se lever pour aller aux toilettes ou dans leur chambre en passant devant ces mêmes fenêtres. New York, ai-je fini par comprendre, est avant tout une ville à la lumière intérieure. Son charme vient du fait qu'il existe une gamme infinie de vies personnelles exposées. J'ai vécu un moment à Paris et, avec le recul, j'ai compris que la nuit là-bas se concentre autour des monuments, éclairés par des sources invisibles. Cela donne l'impression d'une ville plus publique, qui impose ses caractéristiques à ses propres bâtiments.

Ici, j'ai développé un goût particulier pour les citernes juchées en hauteur. J'aime leur robustesse rustique. J'en vois plus d'une dizaine de là où je suis assis – bien rangées sur des plateformes discrètes, ou au contraire exposées, solitaires, sur les toits, leurs silhouettes identiques dans le reflet du soleil.

À ma droite, à quelques mètres de l'autre fenêtre, dans un claquement sec, les métros s'engagent sans hâte dans la galerie inférieure du pont. À mesure que la nuit s'approfondit, après que les bars ont fermé depuis longtemps et que les fêtards sont allés se coucher, les métros sont tellement vides que je parviens même à compter le nombre de passagers. Dans la plupart des cas, il s'agit de travailleurs qui font les deux huit et rentrent chez eux. Ils sont assis, seuls ou avec une autre personne, silencieux. Souvent, ils sursautent en me voyant.

La constance des métros me rassure. Je les sens sortir de terre en grondant sur Canal Street, puis passer à ma droite, ruban de lumière argent fonçant dans la nuit tel un bulldozer. Chaque fois, je les suis des yeux lorsqu'ils se glissent sur le fleuve, tandis que le trafic routier file au-dessus d'eux en un flot incessant.

Ce soir, j'ai regardé une vidéo sur mon ordinateur. Il s'agit d'un examen que j'ai fait à l'hôpital. C'est mon neuropsychologue, le docteur Ptacek, qui me l'a envoyée. Je suis allongé sur une table d'examen, vêtu d'une blouse spéciale. La caméra est juste au-dessus de moi. Je regarde droit vers elle. Un drap chirurgical vert me recouvre jusqu'au cou. On m'a rasé la tête et des électrodes sont collées sur mon crâne, façon tête de Méduse.

C'est étrange de se voir en posture si vulnérable. Je me reconnais, bien sûr, mais surtout je vois un patient, un corps allongé, vêtu d'une tenue d'hôpital lambda. Mes réactions sont intéressantes à observer, elles ne correspondent pas nécessairement à mes souvenirs de ce moment.

Des gens se penchent vers moi pour me parler. Il n'est pas possible de les reconnaître, la caméra ne montre que le sommet de leurs têtes recouvertes d'une charlotte. On dirait qu'ils s'apprêtent tous à se rendre dans des douches communes. À la hauteur de l'aine, un carré a été découpé dans le drap. On me prépare pour un test de Wada afin de mesurer les dommages dans l'hémisphère droit de mon cerveau.

Mes crises sont désormais suffisamment fréquentes et sérieuses pour envisager une opération. Le docteur Ptacek a affiché mes IRM et mes résultats cliniques. Lui et son équipe ont identifié la présence de cicatrices dans l'hémisphère gauche. En l'absence d'autre possibilité, cela pourrait expliquer mes crises. L'opération porte un titre un peu effrayant : ablation des amygdales du cerveau ; en fait, on retire les amygdales (du mot grec signifiant « amande ») et une partie de l'hippocampe voisin. L'hippocampe est une composante vitale des circuits de la mémoire dans le cerveau, essentielle pour créer de nouveaux souvenirs. Si je suis la somme de mes souvenirs, alors l'hippocampe est l'outil qui me permet de me construire. Tout ce dont je me souviens passe par lui. Les amygdales sont l'outil qui me permet d'accéder à mes émotions. Elles relient les zones corticales supérieures du cerveau – langage, perception, pensée rationnelle – aux structures plus profondes qui permettent la régulation des émotions et de la détermination.

Mon visage à l'écran est si net que je plonge droit dans mes yeux, où je lis de la terreur, ce qui est étrange – bien que compréhensible – car je n'ai pas le souvenir d'avoir eu peur. Je me sentais calme ce matin-là, allongé sur cette table d'examen. J'ai essayé de trouver du réconfort dans le rythme régulier de ma respiration. J'avais confiance en l'équipe qui m'entourait. Mais une fois encore, notre état émotionnel intérieur, souvent, ne correspond pas à ce que nous donnons à voir aux autres. Nous nous forgeons un visage prêt à rencontrer d'autres visages.

Le but du test de Wada consiste à préparer le terrain avant l'opération, à vérifier que l'hémisphère droit de mon cerveau fonctionne correctement, qu'il n'y a pas d'autres lésions silencieuses cachées dans ses replis. Si je devenais inhibé de chaque côté, je serais coupé de la réalité, incapable de former de nouveaux souvenirs, privé d'émotions. En dépit de ma position précaire, je trouve qu'il y a une beauté délicate dans le fait que les gardiens de notre existence aient des formes si simples.

Lundi dernier, le docteur Ptacek m'a expliqué la procédure à son cabinet. Le test de Wada nécessite une injection d'amobarbital dans l'hémisphère gauche afin de l'anesthésier (même si, dans ce cas précis, le mot semble incorrect, car le cerveau n'a pas de neurones récepteurs, il est donc plongé dans un état permanent d'anesthésie – encore un mystère que je ne parviens pas à comprendre). Nous avons répété la manière dont les choses allaient se dérouler. Il m'a demandé de m'allonger sur la table d'examen et de lever les bras en l'air. Je devais compter jusqu'à vingt et imaginer (à partir de dix) que mon bras gauche devenait inerte et que je le laissais retomber sur le côté. Puis il est passé à la suite du test, m'a demandé de procéder à des actions simples, à des opérations mathématiques basiques, et m'a fait nommer des images sur un tableau.

On a appris à se connaître un peu, lui et moi. Au cours des différents rendez-vous qu'il appelle sa « course d'obstacles » – électroencéphalogramme, IRM, télémesure vidéo, profil neuropsychologique, différents médicaments –, il m'a un peu raconté sa vie. Il vient de République tchèque. Il m'a avoué qu'il l'appelait encore Tchécoslovaquie, comme à l'époque où il en est parti. Il a grandi sous domination soviétique dans un village des Carpates. Son père était mécanicien. Il est arrivé à New York grâce à une bourse afin d'y poursuivre ses études. Dans sa voix s'entendent toujours les inflexions de sa terre natale. Si riches, si mesurées, pleines d'autorité. Je trouve ça apaisant.

Il m'a dit de l'appeler Karl, mais je n'y parviens pas. Question de confiance, je présume. J'ai besoin de croire en ses capacités, en son aptitude à résoudre tous les problèmes qu'il rencontre. J'ai besoin d'un signifiant professionnel.

À l'écran, l'anesthésiste s'approche et m'injecte un anesthésiant local dans l'aine. Je regarde au plafond, droit vers la caméra. C'est bizarre mais je ne me rappelle pas cette caméra, qui était pourtant juste au-dessus de moi. J'étais sans doute concentré sur l'activité qui m'entourait. La salle était bondée, remplie d'équipements à rayons X et d'instruments de contrôle. Assis dans un coin, l'opérateur médical observait son écran, casque sur la tête, mesurant le son. Au-dessus de moi, différents moniteurs montraient des sections de mon cerveau. Sur la vidéo, on entend en fond sonore les gens qui vaquent à leurs occupations ; les techniciens chargés de l'électroencéphalogramme en blouses blanches, les radiologues en bleu, telles deux équipes concurrentes. Les techniciens mesuraient le degré d'activité de mon cerveau, et des lignes de différentes couleurs serpentaient sur les moniteurs. Les bleues dominaient, ondulant légèrement, ce qui était bon signe car cela signifiait que mon cerveau était au repos, suivant un rythme alpha nonchalant.

Je me vois fermer les yeux. Je tourne la tête d'un côté, puis de l'autre. Je devais essayer de trouver une position confortable sur l'oreiller. Je me rappelle que les électrodes me grattaient, que j'ai eu envie de les attraper pour en arracher quelques-unes.

Le docteur Ptacek apparaît à l'écran. Il se penche vers moi pour me saluer. Je me tourne vers lui, j'ouvre les yeux. Il tient un bloc-notes, un chronomètre et un dossier noir. Il tend le bloc-notes à un collègue.

« Comment allez-vous, Simon ? dit-il en me touchant l'épaule.

— Ça va. Un peu nerveux.

— Vous sortirez d'ici en moins de temps qu'il n'en faut pour le dire. Continuez à respirer calmement. » Il lève les yeux vers l'électroencéphalogramme. « Tout va se passer comme prévu. Je vous le promets. » Je me souviens une fois encore d'avoir trouvé sa voix très rassurante, avec cet accent plein de fermeté.

Une infirmière s'approche sur la gauche et me prend la main. Ils sont prêts à commencer.

La radiologue procède à une incision dans mon aine. Je sais à quel moment cela se produit dans la vidéo parce qu'à cet instant, l'infirmière repousse une mèche de cheveux sur mon front et je fais la grimace, submergé de peur. La radiologue insère dans l'artère fémorale un cathéter, qu'elle fait glisser avec expertise à travers mon corps.

« Jonction avec la carotide interne », dit-elle. J'ignore si elle parle toute seule, si elle s'adresse à moi ou à une technicienne.

J'ai senti le cathéter remonter dans ma poitrine, du cœur jusqu'au cerveau, tel un inconnu se frayant un chemin à travers mon corps. À l'écran, je fais un mouvement de mastication quand le cathéter effleure l'intérieur de mon cou.

La radiologue s'incline en arrière, soulagée. Elle est arrivée à destination. Elle insère l'autre extrémité du tuyau dans une machine et se penche vers moi.

« OK, Simon, je vais injecter un colorant pour être sûre que nous avons atteint la bonne partie de votre cerveau. Vous allez éprouver une sensation bizarre, comme si quelque chose éclatait. Détendez-vous, vous vous comportez très bien. »

Je me vois serrer les dents avec détermination, prêt à l'action. Mon visage s'empourpre. Le liquide en question, je m'en souviens, m'a paru étonnamment chaud. Ça m'a fait une sorte de flash dans le crâne, un orgasme, une onde de choc, un abandon.

Le docteur Ptacek s'approche à nouveau et se plante à hauteur de mon abdomen, face à l'infirmière. Celle-ci encadre mon visage de ses mains. C'était si bon de sentir la fraîcheur de ses mains. À présent que je la vois à l'écran, je me rends compte que cette infirmière n'avait pas de tâche médicale spécifique à accomplir, elle était seulement là pour me rassurer. De voir ces trois personnes rassemblées autour de moi, je me dis que chacune s'occupe d'une version de moi différente. Le corps. L'esprit. L'être humain.

Le docteur Ptacek me dit : « Simon, je vais vous demander de lever les mains de la même façon que nous l'avons déjà fait ensemble. Dès que nous commencerons à vous injecter l'amobarbital, vous vous mettrez à compter jusqu'à vingt. »

Je lève les bras, c'est un geste d'espérance, tel un croyant qui adore son Dieu.

La radiologue hoche la tête à l'adresse du docteur Ptacek. Son assistante déclenche le chronomètre. Le docteur Ptacek me fait signe et je commence à compter. Ma voix est aiguë, nerveuse, hésitante.

En arrivant à huit, je montre des signes de faiblesse, mon bras gauche vacille et retombe. Le docteur Ptacek le rattrape et vient le positionner doucement le long de mon corps.

Mes paupières papillonnent, mes prunelles fusent de haut en bas, de droite à gauche. Je sens une sorte de frénésie s'emparer de moi, une conscience sauvage du danger m'envahit.

C'est tellement bizarre de se voir ainsi. Trente secondes plus tôt, j'étais de manière évidente Simon Hanlon, un Irlandais de quarante-neuf ans, célibataire et sans enfant. Le visage à l'écran est identique à celui que j'aperçois dans la glace de ma salle de bains. Mais dès que le produit anesthésiant commence à faire effet, je deviens un autre. L'agressivité se lit dans mes yeux, des rides apparaissent, dues à l'inquiétude, à la confusion. On dirait que je lutte contre quelque chose, comme si je tentais de pousser un mur. La moitié de mon cerveau est à présent inactive. Cela fait-il de moi seulement la moitié de la personne que j'étais il y a trente secondes ? Ou cette créature hystérique et sauvage est-elle mon vrai moi, que je dissimule sous le voile des convenances ?

Le docteur Ptacek dit : « Très bien, Simon, je voudrais que vous touchiez votre nez. »

Je réponds par un geste mécanique.

Puis il me demande de réciter les jours de la semaine et je démarre : « Di, di, di... di... di... » On dirait que j'essaie de décoller un débris coincé derrière mes dents de sagesse. Changement. Je n'ai plus l'air agité, mais plutôt perdu, désolé.

« Et maintenant, pouvez-vous compter à l'envers à partir de dix ? »

Je donne l'impression de réfléchir à cette question. L'effort se lit sur mon visage. Je dis : « Diz, neup, ouate, seb... seb... seb... seb. » Subitement ma concentration s'évapore. Je renonce. Peut-être ai-je entendu ma propre voix, soudain si étrange, peut-être la volonté de poursuivre m'a-t-elle manqué. Puis je lance un clin d'œil à l'infirmière et je pousse un rire mauvais. Une nouvelle émotion m'envahit, on dirait que je vais fondre en larmes, je suis écorché vif, comme un bébé.

(Je ne me souviens absolument pas de tout ça. Après, dans son bureau, le docteur Ptacek m'a dit que les difficultés d'élocution étaient normales. Les récepteurs du langage se trouvent pour l'essentiel situés dans l'hémisphère gauche. Il aurait été surprenant que j'arrive à être cohérent.)

Le docteur Ptacek prend son dossier noir et me montre des images en me demandant de les identifier.

Je les montre du doigt en répétant toujours la même chose :

« De. »

« De. »

« De. »

Mon visage s'éclaire.

À nouveau j'émets ce rire vicieux, méchant. Puis je m'effondre, les pupilles dilatées.

« OK, Simon. Fermez les yeux et détendez-vous. »

Mes paupières se ferment. Mes traits sont inexpressifs. Le médecin s'éclipse dans une pièce adjacente tandis que l'anesthésie se dissipe. Je vois la tension disparaître sur mon visage. J'adopte un air paisible et bienveillant.

Il revient au bout de quelques minutes pour me faire passer un test de mémoire. Il tient à présent son bloc-notes.

« Alors, de quelles images vous souvenez-vous ? »

Pause.

« Une fourchette.

— Bien.

— Un ballon de basket.

— Bien.

— Un vélo.

— Oui.

— Un âne.

— Oui. Ça va. Autre chose ? »

Longue pause.

« Une lampe torche. »

Il hésite, hoche la tête, écrit quelque chose. « OK. Merci, Simon. Comment ça s'est passé dans l'ensemble, comment croyez-vous vous être débrouillé ? »

Je me vois lui adresser un grand sourire. « Ça a été, non ? Ouais, en fait j'ai plutôt aimé. C'est vrai, les questions n'étaient pas trop difficiles. »

Par la suite, il m'a rassuré en me disant qu'il savait que je ne mentais pas, que je croyais vraiment que tout avait été comme sur des roulettes. Il m'a expliqué que c'était un exemple de la manière dont l'hémisphère gauche pouvait nous abuser nous-mêmes. Apparemment, il s'agit d'un processus constant, présent chez tout le monde : nos expériences, passées à la moulinette de notre cerveau, sont réécrites pour être compréhensibles, plausibles, acceptables.

Seulement il y a quelque chose que nous avons raté tous les deux. Ça s'est produit à 18 h 32. Juste avant qu'il revienne me faire le test de mémoire.

Je prononce des mots. Je regarde l'infirmière et dis quelque chose. Elle répond en me frottant le cou. Mon élocution est toujours hasardeuse, mon hémisphère gauche encore un peu sonné : *Comantapelfison*.

Tout d'abord, je ne l'ai pas remarqué. J'ai dû revoir le passage plusieurs fois, en augmentant le volume, avant de vraiment comprendre ce que je disais.

Au moment où je prononce ces mots, j'ai les yeux écarquillés. Je suis désorienté, rempli de terreur. Ces syllabes, je m'en rends compte, forment une phrase, une phrase que je connais parfaitement, qui résonne régulièrement dans ma tête. Mais me voir la prononcer à voix haute, c'est tout à fait autre chose – bizarre, douloureux, et sans doute révélateur. Je repasse la séquence. J'observe mes lèvres qui bougent, j'entends mon discours inarticulé, cette voix qui n'est pas du tout la mienne : *Comantapelfison*.

Je la repasse encore, cette phrase qui résonne dans les chambres de ma vie : *Comment tu t'appelles, fiston ?*

3

FAIT ÉTRANGE, mes crises se produisent toujours en fin d'après-midi. Une telle constance est inhabituelle, mais pas impossible. L'épilepsie possède chez chaque sujet ses caractéristiques propres, ses nuances individuelles. Dans mon cas, elle me laisse en paix le matin ; j'ai appris à ne pas m'inquiéter avant l'heure du déjeuner.

Je me lève de bonne heure et je sors. Je m'achète un café et un bagel au fromage frais dans un *deli* de Forsyth Street, puis je m'assois sur un banc dans le square de Hester Street, je prends le pouls de la ville, et je me rappelle tout ce que j'ai toujours tenu pour acquis, jusqu'à maintenant. La fadeur de l'habitude se désagrège. Une chose aussi ordinaire que la couleur des briques d'une école peut déclencher un feu d'artifice dans mon système nerveux, comme autrefois quand j'allais à un concert. L'expression « une symphonie de couleurs » pour moi n'est plus un cliché.

On m'a dit qu'il s'agissait d'un effet secondaire de l'épilepsie, une aberration du processus mental. Je n'arrive pas à accepter cela en ces termes. Aucun spectateur sortant d'une salle de concert ne s'entendrait dire que ce qu'il vient de vivre résulte juste de la combinaison des notes et des instruments. Je me demande si la couleur n'a pas toujours cette résonance, et si je n'étais pas jusque-là trop aveugle pour le remarquer.

Je m'assois sur le banc, puis je bois mon café et je mange mon bagel tout en observant un groupe de personnes âgées faire les mouvements habituels de leur séance de taï-chi. C'est devenu l'événement central de ma journée. Leurs gestes sont simples, et pourtant mis en scène avec une grande révérence. Beaucoup ont les mains déformées par l'arthrose, leurs doigts forment des angles étranges. Ils ont du mal à garder leurs membres immobiles, on voit leurs bras trembler lorsqu'ils décrivent des cercles dans les airs. Leur concentration est indécelable sur leurs visages. Ils sont remplis de grâce – il n'y a pas d'autre mot. Même immobiles, ils dégagent une impression de mouvement.

Et aussi de joie, il n'y a rien de religieux chez ces gens. Après leur séance de taï-chi, ils font de l'exercice sur les vélos publics. Les bicyclettes restent sur leur socle, ils montent dessus et se mettent à pédaler en saluant de la main les passants tandis qu'ils discutent entre eux et font tinter les sonnettes accrochées aux guidons.

Bien sûr, je pense à la mort quand je suis assis sur mon banc à siroter mon café. J'y pense plus encore depuis que j'ai fait le test de Wada. Sa présence se fait plus proche. Certes, j'ai peur, et en même temps, pas vraiment. Ces derniers mois m'ont montré qu'il existait quelque chose au-delà. Je ne parle pas du paradis, d'un palais de nuages blancs avec un chœur d'anges attendant mon arrivée. Je parle de notre manière de concevoir le monde, notre besoin – voire notre obsession – de mettre de l'ordre, de faire tout entrer dans des cases ; combien nous sommes satisfaits de nous-mêmes et mesquins dans nos supposées connaissances, nos justifications intellectuelles, nos prétentions à l'expertise.

Il m'apparaît désormais clairement que notre insistance à concevoir le temps de manière objective – constant, linéaire, totalement indifférent à la façon dont nous passons nos journées – est pour le moins naïve. Le temps n'est pas mécanique, cela au moins est évident. Je commence à apprécier sa nature subjective, comment il arrive et repart à la manière des vagues, échange permanent d'accumulation et de dissipation. Ainsi devient-il manifeste que plus on est affecté par le moment, plus on amoncelle d'expérience. Une saison, une journée, une matinée peuvent être si denses qu'elles pèsent davantage qu'une décennie, deux décennies, au point de complètement renverser l'équilibre d'une vie.

Voir se dissiper les limites imposées par le tic-tac de l'horloge apporte un sentiment de libération intense qui investit chaque aspect de mes sens. Aussi, les frontières entre moi-même et tout ce qui m'entoure, animé ou inanimé, fréquemment se dissolvent, ou sont engouffrées dans un sentiment d'unité. Je ne puis exprimer cette sensation avec des mots. Le faire contredirait l'expérience elle-même, imposerait une définition à quelque chose qui, dans son état le plus naturel, n'en a pas. Lao-tseu écrit : « Le nom qui peut être nommé n'est pas le nom éternel. » Pour moi, ça fait complètement sens. Si l'on peut donner un nom à Dieu, alors ce n'est pas à Dieu qu'on se réfère. Peut-être est-ce Einstein qui s'en est le plus approché. Il appelait le Créateur « l'Ancien ». Ça me plaît, ça sonne bien. S'il existe quelque chose, une entité par-delà tout ce qui nous entoure, elle est certainement ancienne.

Dans l'Antiquité, les Grecs appelaient l'épilepsie « le mal sacré ». Ils pensaient que les personnes qui en souffraient étaient maudites par les dieux ou les déesses. Les symptômes permettaient de savoir de quoi il s'agissait. Par exemple, si le cri d'un malade rappelait le hennissement d'un cheval, cela laissait penser que Poséidon – le père des chevaux – avait lancé sa vindicte. Cette idée du lien entre les dieux et l'épilepsie ne disparut pas avec la civilisation grecque. Méric Casaubon, un érudit français du XVIIe siècle, a écrit au sujet d'un boulanger battu avec brutalité par son maître, qui à la suite de cela se mit à faire des crises d'épilepsie. Cela prit la forme d'extases au cours desquelles il prétendait ne plus toucher son lit – ainsi que le lui faisaient croire les personnes qui avaient assisté à ces épisodes – et être transporté par des anges jusqu'au paradis, où l'accueillaient les membres défunts de sa famille.

Jeanne d'Arc, autre figure historique sans doute épileptique, a décrit ses visions lors de son procès en hérésie. Une voix accompagnée d'une lumière lui parlait tous les jours, chaque fois du côté droit.

Dostoïevski voyait dans sa condition un possible véhicule à la transcendance. « Dès que l'état terrestre normal de l'organisme est perturbé, la possibilité d'un autre monde commence à apparaître. Et plus la maladie se développe, plus le sont aussi les contacts avec l'autre monde. »

Peut-être tous ces exemples nous montrent-ils seulement que nous voulons prendre nos désirs pour des réalités, que nous scrutons un bâtiment brûlé à la recherche des signes de l'incendiaire.

Après le square, je me rends à un marché couvert sur Elizabeth Street afin d'acheter à manger pour la journée. De l'extérieur, on dirait une petite boucherie, mais cela s'étend à travers tout le bloc d'immeubles. Les clients qui ont terminé leurs courses donnent leur reçu à un homme vêtu d'une blouse blanche et d'une casquette de base-ball rouge qui leur remet leurs achats. Derrière le comptoir de la boucherie, des canards rôtis sont suspendus à des crochets de métal, la tête tournée vers la porte, à croire qu'ils essaient d'établir un contact visuel avec l'employé qui récupère les reçus.

Le matin, c'est tranquille. Personne n'est pressé, pas de musique hurlant à travers des enceintes dissimulées. Pour moi, c'est une terre étrangère, qui m'ensorcelle. Je m'y promène, j'y fais mes emplettes, je m'arrête pour contempler des vitrines et j'observe des méduses marinées – grosses comme la moitié de mon poing, d'une texture qui rappelle celle de luffas recouverts de balanes – et des écheveaux de crevettes grises gisant sur des lits de glace pilée. Il y a toujours des caisses blanches par terre, autour du comptoir du poissonnier ; je m'y penche et de grosses grenouilles musculeuses et moroses me renvoient mon regard. Empilées les unes sur les autres, elles agitent leurs pattes arrière pour être à l'aise, et j'attends en vain d'en voir une cligner des yeux. Dans d'autres caisses, de fines anguilles blanches ondulent d'un mouvement lent et régulier, pareilles à des brindilles à la surface d'un lac.

L'après-midi, je reste chez moi à attendre la tempête. Mes déplacements se limitent au lit, à la chaise et au bureau sous la coupole. On a collé de la mousse sur toutes les arêtes des meubles, et le sol est recouvert d'un revêtement de caoutchouc.

Ma situation peut inspirer la pitié, pourtant je ne suis pas seul. Les gens vont et viennent au cours de la journée. Je suis devenu une curiosité locale. On me salue dans la rue, on connaît mon nom. Une association de quartier envoie un musicien jouer chez les gens le mercredi après-midi. Souvent, d'autres voisins viennent assister à ces concerts, et désormais j'y suis convié moi aussi. Quand je m'y rends, j'essaie d'être le plus discret possible. Je reste debout au fond, j'écoute la musique et j'observe la joie se peindre sur les visages dès que les notes s'élèvent, la tendre nostalgie qui enveloppe les exilés.

Mr Chunyan, mon voisin du dessous, m'explique sans cesse sa routine quotidienne. J'y suis très attentif. Cet homme mérite tout mon respect. Il a quatre-vingt-cinq ans et plusieurs fois par jour, il descend les quatre étages pour sortir. Je dispose d'une sonnette d'urgence sur laquelle je suis censé appuyer au moment où la crise devient imminente, qui retentit dans l'appartement de Mr Chunyan. Néanmoins j'y ai rarement recours. Les deux premières fois, en retrouvant mes esprits, j'ai lu une telle panique sur son visage que j'ai songé que ça n'en valait pas la peine. Il a bien gagné sa tranquillité ; il n'a pas à supporter les souffrances d'un étranger plus jeune que lui de plusieurs décennies.

En revanche, après la crise, je descends souvent lui rendre visite et boire le thé. Il ne parle pas bien anglais, mais ça n'a pas vraiment d'importance car nous communiquons souvent par gestes. Il m'offre des oranges et me dit de frotter mes genoux le plus fréquemment possible pour activer la circulation sanguine. Hing, mon infirmière non officielle, m'a dit qu'il avait travaillé dans un restaurant de Jersey City jusqu'à soixante-dix ans passés. Sa femme l'a quitté il y a quatre ans. Il a expliqué aux voisins qu'un jour elle avait décidé de partir à Hong Kong. Personne ne croit à cette version des faits. Pendant trois ans, il a été malheureux, puis il s'est repris grâce à la pratique de la callisthénie à laquelle il se livre dûment tous les matins au square, et qu'il me montre chaque fois qu'il m'ouvre sa porte. J'aime sa compagnie, un homme de quatre-vingt-cinq ans qui s'offre une nouvelle vie, c'est un oiseau rare, et cela m'apporte du réconfort, de la joie.

Parfois, ainsi face à face à siroter notre thé, tels deux camarades étrangers, un magnifique silence descend. Mr Chunyan fait partie de ces personnes qui sont à l'aise même si le silence se prolonge. J'ignore si c'est le résultat de ces années de solitude ou si c'est sa nature. Ces interruptions durent parfois jusqu'à dix minutes, voire davantage. Je ne l'ai jamais vu ciller, et je ne me sens pas observé pour autant. Sa présence au contraire m'est intime, elle porte une étrange atmosphère d'harmonie.

Lorsque le silence s'établit entre nous, je n'essaie pas d'imaginer le passé de Mr Chunyan – son expérience de la vie est si différente de la mienne qu'elle m'est inconnaissable. Je suis plutôt emporté par des souvenirs ancrés, des détails de mon enfance : odeurs, sons, images ; des choses que je n'imaginais nullement porter en moi. Au cœur de ces silences, j'entends le pas lourd du bétail. Je sens l'odeur des primevères et je vois les épouvantails confectionnés à partir de vieux sacs d'engrais. Je regarde les orties et la patience sauvage. Je hume les volutes de fumée de tourbe qui s'égaillaient depuis la cheminée à travers notre salon quand on refermait la porte trop vite. Je goûte au porridge cuit pendant la nuit sur notre fourneau, je sens la texture des petits pains aux raisins que ma mère confectionnait pour Halloween, au sein desquels elle dissimulait une allumette brûlée, un pois sec ou une bague, bien emballés dans du papier cuisson. Suivant ce qu'on trouvait dans sa pâtisserie, cela annonçait un grand amour, une correction ou une vie de misère. Un bienfait ou une peine.

Je me rappelle comme les bœufs utilisent leur queue en guise de chasse-mouches. Je sens l'odeur des pommes pourries tombées sous l'arbre. De la tartine couverte de beurre fondu. Je revois les moineaux s'engouffrer dans le mur en ruine. Les volées d'étourneaux qui réinventent le ciel. J'entends les merles ou les râles des genêts annoncer la tombée du soir.

Et je pense aux soldats – avec ou sans uniforme. Je pense aux véhicules blindés. Aux murs de séparation. Je pense aux voitures brûlées et aux bombes.

Nous considérons les souvenirs comme de pâles versions d'un moment particulier. Je commence à me demander si le contraire n'est pas vrai ; peut-être que notre expérience des événements et leurs incidences sur le présent sont minces, sans relief, que nous nous contentons de les accumuler, et que c'est seulement plus tard, une fois libérés à travers le paysage du temps, qu'ils arrivent enfin à maturité.

4

LE 8 NOVEMBRE 1987, l'IRA fit exploser une bombe à Enniskillen, ma ville d'origine. Onze personnes furent tuées, soixante-trois autres grièvement blessées. Ce fut le pire moment de la triste histoire des Troubles. Mon père et moi étions présents. Mes premières crises d'épilepsie se manifestèrent peu après.

La bombe explosa lors de la cérémonie du Dimanche du souvenir, jour de commémoration des soldats britanniques morts au cours des deux guerres mondiales et des conflits suivants. Ni l'un ni l'autre n'y étions jamais allés. Ma mère, membre respecté de l'Église d'Irlande, se chargeait toujours de nous représenter. En dehors des mariages et des enterrements, elle me demandait rarement d'assister aux messes. Et mon père la laissait y aller seule. D'un naturel timide, il résistait à toute notion de patriotisme, toute manifestation militaire, de quelque côté que ce soit. Il voulait simplement travailler sa terre en paix, en toute solidarité avec ses voisins, sans se soucier des croyances politiques ou religieuses.

Pourtant, ce jour-là, ma mère n'était pas là. Ni le jour suivant. Elle était morte d'un cancer neuf mois plus tôt. Aussi, ce matin-là, nous étions présents en son absence, comme on dit, affirmation qui à cette époque concernait tous les aspects de nos vies.

J'avais quinze ans et j'étais seul. Je n'avais ni frère ni sœur.

Nous vivions dans une grosse ferme au bord du Lough Erne, dans un lieu-dit appelé Lisnarick, non loin du village de Kesh, à peu de distance en voiture de la ville d'Enniskillen. La ferme était dans la famille de ma mère, les Stewart, depuis l'époque lointaine des plantations, et elle lui était échue après que son frère, David, eut succombé à une crise cardiaque avant même de s'être marié. Elle était revenue définitivement de Liverpool juste avant que les Troubles ne reprennent, infirmière fraîchement diplômée, avec un bébé et un jeune mari, un docker de la république d'Irlande, un imposteur de catholique. Ainsi, en ces temps polarisés, tribaux, je me retrouvais à cheval entre les deux camps, ce qui signifiait bien sûr que je n'appartenais à aucun.

C'est seulement aujourd'hui, à l'âge adulte, que je me rends compte des effets qu'un tel retour aux sources put avoir sur son moral. Il y a quelques années, peu de temps avant sa mort, mon père m'a raconté que ma mère avait naguère eu pour ambition de rejoindre le corps des infirmières de l'armée britannique, et je l'imagine sans peine à travers les grandes villes de ce monde, vêtue de son élégant uniforme gris, les cheveux attachés en chignon sous son béret. Après qu'il m'a dit ça, mes souvenirs de nos voyages à Dublin et à Belfast ont pris une autre signification. Je comprenais désormais pourquoi elle trouvait toujours le temps d'aller s'asseoir dans un salon de thé pour écouter le bavardage ambiant qui montait en volutes sous les hauts plafonds, sans que ma présence la gêne, car elle était trop immergée dans la vie des autres. Ces moments-là, je le devine à présent, ainsi que ses livres et les pièces qu'elle écoutait jouer à la radio, étaient les seuls liens qui la rattachaient encore à une autre vie qui, à une époque, avait été à sa portée.

Elle savait se tenir dans ce genre de salon de thé. Elle posait si délicatement sa tasse sur la soucoupe qu'elle ne faisait aucun bruit. Elle croisait les jambes et lissait les plis de sa jupe. Et cette façon d'adresser aux serveuses des signes de tête, de parler en inclinant légèrement le visage sur le côté. Ma mère avait de la prestance, tout le monde le disait.

Le silence fut d'autant plus assourdissant dans les mois qui suivirent sa mort que jusque-là, ses chants remplissaient la maison lorsqu'elle nettoyait le sol de l'arrière-cuisine, sans oublier le flot continu de ses paroles quand elle discutait au téléphone avec ses amies, assise à la table de la cuisine, tout en enroulant le cordon noir autour de son index, ou en griffonnant des arabesques sur le moindre morceau de papier à sa portée. Sa voix me manquait par-dessus tout, qu'elle chante ou qu'elle parle.

Mon père ne la pleurait pas ouvertement, mais il s'était effondré intérieurement. Même sa manière de s'asseoir sur le canapé avait changé : il sombrait sans s'en rendre compte en lui-même, dans ses profondeurs abattues. Pour se relever, il posait les mains de chaque côté de ses cuisses. Comme s'il avait vieilli de plusieurs décennies. Parler lui demandait tout autant d'efforts : il ne semblait pas capable de m'adresser plus de trois ou quatre phrases hasardeuses.

Si mon père et moi nous avions pu parler de ma mère en ces mois de solitude qui suivirent son décès, cela nous aurait sans doute transformés tous les deux, il nous aurait été plus facile de tracer un chemin l'un vers l'autre. Notre impuissance à y parvenir fut notre petite tragédie, mais c'était inévitable. Non, « tragédie » est un terme excessif. Ce qui nous arriva était plus lent, plus poreux, plus ordinaire. Une dissolution.

Ce ne sont pas les images en cascade qui se déversent des chaînes d'informations, ni la rhétorique des politiques qui créent l'histoire. Celle-ci naît d'une myriade de décisions personnelles, de conversations tranquilles. Les événements singuliers d'une vie au bout du compte s'agrègent au continuum de l'expérience et des croyances communes, telle une pierre qui ricoche sur des eaux calmes, la ligne droite se mêlant aux circulaires. Nous sommes tous le produit de notre époque, et celle où mon père avait grandi insistait pour qu'il fasse la liste de toutes les pensées sexuelles qui lui avaient traversé l'esprit afin de les répéter plus tard, plein de honte, à un prêtre, dans une petite cabine sombre. Cette époque avait décrété qu'il devait faire de son mieux pour éviter tout contact physique avec son enfant, et décourager toute question à laquelle il ne pouvait offrir une réponse claire. Les frontières qui bordaient mon enfance n'étaient pas seulement géographiques, elles étaient aussi intérieures. Elles segmentaient et classifiaient chaque pensée, chaque mot, chaque geste en y apposant une étiquette définitive. À l'époque, en nous croisant pour retourner chacun dans notre chambre, nous avions l'un comme l'autre l'impression de n'avoir pas plus d'influence sur l'éloignement silencieux qui nous séparait que sur les brigades britanniques qui fourmillaient à travers nos petites routes de campagne à toute heure du jour ou de la nuit.

À la maison, en dehors de la télévision, le bruit principal qui accompagnait mes pensées était le tic-tac de l'horloge de voyage dorée posée sur la cheminée, objet carré muni d'un régulateur à pendule caché derrière la façade, parallèle au linteau de marbre. Cette horloge faisait partie des rares objets qui appartenaient à mon père, il s'agissait d'un cadeau de départ de ses anciens patrons chez Watling & Sons, à Liverpool – juste après ma naissance. Le mécanisme fonctionnait grâce à la pression barométrique – il l'expliquait à tous ceux qui venaient chez nous. Sa fascination pour cette merveille ne perdit jamais de sa fraîcheur et, grâce à cela, les gens, ou plutôt les hommes, n'avaient jamais besoin de faire semblant de s'y intéresser. Bien au contraire, ils examinaient l'intérieur de la boîte en verre – ainsi que je le faisais quand j'étais seul – afin d'en percer les mystères. Sans doute pensaient-ils qu'ils devaient être immédiatement capables de comprendre comment un tel instrument fonctionnait. Certains y arrivaient peut-être. Toujours, ils se penchaient puis se redressaient et tiraient un véritable plaisir à l'inventivité sans limite de la précision horlogère, et aussitôt, ils évoquaient d'autres pièces de génie mécanique qui les avaient un jour frappés, comme les fruits d'une pensée originale et de l'expertise artisanale.

Cette horloge avait servi d'élément central au cours du déjeuner qui avait suivi l'enterrement de ma mère. Les deux branches de la famille n'étaient pas capables de se retrouver ensemble dans la même pièce, aussi les gens s'étaient-ils assigné des besognes précises pour donner un vague sens à leur division. Les Stewart s'étaient rassemblés dans la salle à manger, où ils s'occupaient de distribuer les assiettes, soulevaient et reposaient les couvercles sur les plats chauds du buffet disposé sur une table roulante. Les Hanlon étaient à la cuisine où ils nettoyaient et essuyaient les verres, les couverts ou la faïence qu'on leur rapportait. Les deux équipes de traiteur que notre plus proche voisine, Trudy Irvine, avait insisté pour embaucher, étaient ravies de la façon dont les choses se déroulaient. Mon père et moi, n'ayant ni l'envie ni l'énergie pour jouer les médiateurs, nous étions retirés dans le salon, qui était devenu le lieu d'attraction principal de la maison. D'un côté de la cheminée, mon père détournait toute tentative de condoléances en parlant de sa pendule, tandis que debout de l'autre côté, j'observais des gens que je connaissais depuis toujours et qui, fait inexplicable, avaient perdu toute capacité à s'adresser à un adolescent. Les femmes étaient assises sur les sièges rassemblés et parlaient entre elles à voix basse, me jetant de temps à autre un regard, tandis que leurs maris formaient un demi-cercle autour de l'âtre, examinant les mystères d'un mécanisme d'horlogerie qui n'avait besoin ni de piles ni d'être remonté. Je n'ai jamais compris moi-même comment ça marchait ; j'entretenais l'idée vague que cela avait à voir avec la pression de l'air, voire l'influence des marées. Je n'ai jamais non plus demandé de détails à mon père, car soit il se serait lancé dans de longues explications compliquées, au terme desquelles j'aurais été plongé dans une perplexité plus grande encore, soit lui-même n'aurait su répondre, et n'aurait plus rien eu à dire aux autres, paralysé par la peur qu'ils lui posent la même question.

Au cours de l'hiver précédent, cette horloge avait accompagné mes après-midi. À cette époque – un temps rétrospectivement précieux –, après être rentré de l'école, j'étais autorisé à manger sur un plateau au coin du feu, en face de ma mère qui reprisait nos vêtements, assise dans l'autre fauteuil. Il en allait ainsi dans les semaines qui s'intercalaient entre deux séances de chimiothérapie, lorsqu'elle n'était plus obligée de rester allongée dans sa chambre, accablée de nausées pendant des jours, vomissant dans une bassine brune que j'allais vider dans les toilettes et que je lavais avec du liquide vaisselle au citron avant de la remettre sous le lit, en prévision de ses prochains vomissements. Une fois que l'effet de la toxine diminuait, elle reprenait sa place au salon, près du feu que mon père allumait au matin, affublée d'une perruque qui ne ressemblait en rien à sa chevelure naturelle – elle était d'un blond beaucoup plus clair, coupée nettement plus court, et des espèces de touffes rebelles se formaient au sommet de la tête. En fin d'après-midi, je venais lui tenir compagnie, et ensemble on écoutait le craquement des bûches et le tic-tac de l'horloge, heureux de ce répit temporaire dans sa maladie, alors elle me racontait des anecdotes de son enfance dans cette maison. Qu'un jour elle s'était amusée avec un ouija en compagnie de son frère et de leurs amis, quand soudain, au pire moment, les plombs avaient sauté ; ils s'étaient tous retrouvés plongés dans le noir et s'étaient précipités en criant à la cuisine où Willy Brady, le garçon d'écurie, fumait tranquillement sa pipe en lisant les résultats des courses dans le journal local. Celui-ci s'était levé, était allé dans le couloir, avait changé un fusible, et il était revenu s'asseoir sans jamais quitter des yeux sa page. Ou encore qu'un jour son père avait ramené à la maison sa première voiture et, dès l'après-midi, lui avait appris à conduire dans l'allée ; juste après s'être assise au volant, elle avait appuyé sur l'accélérateur et ils avaient filé dans l'allée, sa course s'arrêtant brutalement contre le pilier en pierre de la barrière sans que son père se montre le moins du monde contrarié. Après s'être assuré qu'aucun d'eux n'était blessé, il avait renversé la tête en arrière et s'était mis à rire à gorge déployée, et chaque fois qu'il en avait l'occasion, il racontait sa première expérience aux gens qui, invariablement, la regardaient en lui adressant un clin d'œil et lui affirmaient que tout irait bien. Elle n'avait jamais compris ce que ça voulait dire, et elle avait pensé pendant les deux années suivantes que jeter des voitures contre des murs était peut-être une profession de choix pour les femmes et qu'elle pourrait un jour faire acte de candidature dans une usine en Angleterre.

À mon tour, je lui racontais les petits événements de ma journée. Un enseignant remplaçant qui avait du mal à se faire obéir, les bagarres dans la cour, une expérience ratée en chimie, une bataille de bouffe dans le bus quand les grands achetaient des oignons, des mandarines et des oranges à l'épicerie Flannery pour les lancer sur leurs victimes captives – les oranges faisaient des dégâts, mais c'étaient les oignons qui causaient le plus de dommages –, tandis que le chauffeur continuait en regardant droit devant lui, se moquant délibérément de tout ce qui se passait à l'arrière.

Jamais je ne lui aurais confié ces bribes de ma vie avant sa maladie. Mais elle s'était désormais adoucie et m'écoutait sans juger, n'éprouvant plus le besoin de me corriger ou de me donner des conseils. Elle hochait la tête en cousant des pièces pour renforcer l'entrejambe de mes pantalons d'école et les talons de mes chaussettes afin qu'elles s'usent moins vite et, quelques mois plus tard, lorsqu'en classe mes pieds me démangeaient, je la revoyais près de la cheminée, et au cœur de ma tristesse, j'éprouvais un peu de réconfort à l'idée qu'à sa manière elle continuait à prendre soin de moi.

Un mois après l'explosion, la pendule acquit une nouvelle signification. Mais avant d'y venir, je dois parler de l'attentat.

La déflagration eut lieu tout près du monument aux morts de Belmore Street, à 10 h 43. Ce monument aux morts représente une statue de soldat, son barda sur le dos, sa casquette sur la tête, le menton appuyé sur la crosse de son fusil, canon vers le bas. Il est toujours là ; il n'a pas souffert de l'explosion. Mon ancienne école, St Michael, se trouve à un quart d'heure à pied. Les portes de Mount Lourdes, l'école des filles, sont à vingt mètres. Je me rappelle bien cette statue : on jouait au foot à ses pieds. On finissait les cours une demi-heure avant les filles, et on devait attendre le car de ramassage scolaire qui desservait les deux écoles, alors, pour tuer le temps, on jouait au foot dans la rue avec une balle de tennis. La base du monument servait de but d'un côté, de l'autre, c'étaient les marches de Forthill Park. Grâce à ces buts et à la taille de la balle, on n'avait pas besoin de goals, ce qui nous convenait à tous, car ça nous laissait libres de courir à travers la rue et de nous replier vers le trottoir lorsqu'une voiture passait. Le soldat nous toisait avec tristesse, notre déploiement d'énergie ne parvenant pas à l'arracher à sa torpeur.

Entre le monument et le portail de Mount Lourdes s'élevait un vieux bâtiment qu'on appelait les Salles de lecture. Il appartenait à la paroisse St Michael et avait abrité notre école jusqu'aux années 1950, quand des fonds consacrés à l'éducation s'ajoutant à ceux du conseil municipal avaient permis de construire un lieu mieux adapté. Dans les années 1980, le premier étage servait d'entrepôt aux scouts. Ils y rangeaient leurs canoës et autres équipements. Le rez-de-chaussée était une espèce de vaste gymnase avec des panneaux de basket de chaque côté, et fonctionnait comme une salle municipale. Au sous-sol, il y avait des billards et une table pour jouer aux cartes où le gardien, Jim Dunlop, organisait de temps en temps des parties de poker avec ses amis.

Le samedi, c'était soirée bingo dans la salle principale du rez-de-chaussée. Une cinquantaine de dames y assistaient religieusement. Seamus McCarney tirait les boules de l'urne et annonçait les numéros. Son fils, Seamus Junior, tenait la caisse et distribuait les cartes de bingo.

La veille de l'attentat, ces femmes – qu'on appelait « la brigade des foulards » – arrivèrent vers 20 h 45, se préparant à passer à l'action.

Le jeu se termina à 22 h 30, ensuite, Seamus et Seamus Junior descendirent au sous-sol pour se joindre à la partie de poker en cours. Jim Dunlop profita de leur arrivée pour ramener ses enfants chez lui. Il promit de revenir vite et tint parole puisque, moins d'une heure plus tard, il était de retour. À ce moment-là, Seamus était parti, mais Seamus Junior était toujours présent, avec Damien McGurn et Eamon Goodwin.

Vers minuit, ils entendirent du bruit dans la salle de bingo. Ils se turent un instant mais rien ne suivit, aussi reprirent-ils leur partie. Dix minutes plus tard, il y eut de nouveau un bruit. Cela ne les inquiéta pas vraiment, le bâtiment était vieux, c'était la mauvaise saison, et il était fréquent d'entendre des craquements.

Eamon se leva quand même pour aller jeter un coup d'œil dans la salle de bingo, mais il ne vit rien et retourna jouer au poker. Environ une demi-heure plus tard, la partie terminée, Jim ferma le bâtiment pour la nuit et Eamon cria dans le couloir qu'ils partaient et que, s'il restait quelqu'un, il fallait qu'il sorte tout de suite pour ne pas se retrouver enfermé pour la nuit.

Personne ne répondit.

À l'heure où la partie de bingo se terminait, j'allais me coucher. Mon père et moi, on avait regardé la télé au salon. Je me levai pour monter dormir de bonne heure. Au moment où je quittais la pièce, mon père prononça mon nom.

Simon.

Nul besoin de continuer en me demandant d'attendre une minute, ce seul mot suffisait à m'arrêter. Jamais mon père ne m'appelait par mon prénom, sauf pour me présenter à quelqu'un. Il m'informa qu'il irait le lendemain matin à la cérémonie du Dimanche du souvenir et me demanda si je voulais l'accompagner. Je répondis que ce serait bien. Il ajouta qu'on irait d'abord à la messe, j'acquiesçai le plus aimablement possible, puis je montai.

Le lendemain matin, je me réveillai de bonne heure et je restai au lit à contempler le papier peint que ma mère avait choisi des années plus tôt chez Dickie's Hardware Shop. Des roses rouges dont les tiges décrivaient des arabesques. Dans l'atmosphère froide de la pièce, je regardai mon souffle s'élever en volutes de fumée, aussi délicates que les brins de muguet que ma mère disposait dans le petit vase sur la table de nuit de la chambre d'amis quand on recevait des invités.

Au bout d'un moment, mon père descendit l'escalier et alla s'affairer dans la cuisine. La porte de derrière s'ouvrit et se referma. Suivit le crissement de ses pas sur le gravier dont il avait recouvert la cour, une tâche parmi d'autres qu'il avait entreprises au cours des mois précédents afin de s'occuper. L'automne avait été particulièrement mauvais, il avait plu sans discontinuer depuis le début de septembre et l'herbe n'avait pas réussi à pousser, il avait donc dû commencer à donner du foin au bétail bien plus tôt qu'il ne l'aurait voulu. Déjà il s'inquiétait de ne pas en avoir assez pour passer l'hiver, si jamais le début de l'année suivante s'avérait aussi humide.

J'entendis le Massey Ferguson démarrer, un modèle 35. Mon oncle David l'avait acheté au début des années 1960. C'était un solide petit engin. Je l'aimais beaucoup, non seulement parce que j'avais appris à conduire avec, mais aussi parce qu'il était entêté, et que les vitesses étaient faciles à passer. Mon père s'en servait pour de menues tâches, celles qu'autrefois on aurait confiées à un âne. Transporter une botte de foin jusqu'au lac marquait la limite de ses capacités. Je trouvais qu'il possédait certaines des caractéristiques de l'animal qu'il remplaçait. Il en avait même la taille. En remplissant le réservoir de diesel, j'avais l'impression de le nourrir, et je devais me retenir de lui caresser le capot et de le remercier pour son travail.

J'entendis mon père tenter de le faire démarrer plusieurs fois avant que le moteur ne se mette à ronfler. Les vitesses passaient en grinçant sous le levier faiblard. Je l'imaginai faire le tour pour aller dans la cour d'en haut où on stockait le foin. Il y eut un léger claquement quand il fit reculer le tracteur vers la balle, que la fourche arrière s'y planta, puis il fit vrombir le moteur pour activer la pompe hydraulique, le levier de vitesse grinça, et il fonça de l'avant en direction du portail, s'arrêta en mettant au point mort le temps d'aller ouvrir le portail, nouveau grincement, nouvel élan, nouvelle pause pour aller refermer, puis un grondement plus soutenu le temps d'accélérer, de passer les vitesses et de descendre la côte. Je l'avais fait si souvent moi-même.

Je me tournai pour regarder par la fenêtre le châtaignier qui se trouvait juste en face, de l'autre côté du mur du jardin. Ce mur était assez haut pour qu'on y ait inséré une porte métallique qui menait dans le Pré au Verger. L'arbre le dominait avec bienveillance, cinq fois plus haut que le mur. Ses feuilles étaient encore accrochées aux branches – d'un ton de rouille, presque translucides dans cette lumière d'hiver qui accentuait terriblement les couleurs.

Dans les semaines qui avaient suivi la mort de ma mère, en rentrant de l'école, j'allais m'étendre sur ses branches. Elles étaient assez épaisses pour que je puisse m'y allonger sur le dos en laissant mes bras et mes jambes ballants de chaque côté, sans peur de tomber. J'abandonnais mon sac d'école dans la cuisine, je sortais dans le jardin, j'ouvrais la porte métallique en la soulevant pour ne pas qu'elle pèse sur ses gonds endommagés, puis je grimpais le long du tronc en m'aidant de morceaux de bois que j'y avais cloués à l'âge de dix ans. Les grosses branches me rassuraient. Le sang, la fragilité d'un corps. J'y voyais l'emblème d'une infinie régression. Je suivais du regard les lignes des ramures, partant des plus épaisses, qui se divisaient en de plus minces, pour s'amenuiser en tiges aussi fines que la mèche d'une bougie. En les observant ainsi, il m'était facile de comprendre que tout ce qui était en moi, tout ce qui m'entourait pouvait être déconstruit jusqu'à l'atome, et même encore plus loin. Le feuillage frissonnant au-dessus de moi me rassurait également en me laissant entendre que la vulnérabilité de ma mère, vers la fin, n'était pas une diminution de son être, qu'il s'agissait seulement d'une progression vers quelque chose de moins définitif.

Au-delà du Pré au Verger, où se dirigeait mon père ce matin-là, tous les champs possédaient des noms donnés d'après des activités qui s'y étaient déroulées. Le Champ de Chasse. Le Champ du Cricket. Le Champ du Festival. Le Champ de Courses. Jamais je ne m'étais senti intimidé par la grandeur de notre domaine. Dans la ferme où j'avais grandi, il n'y avait plus d'ouvriers agricoles. Mon père s'occupait de tout lui-même. Il ne restait plus désormais qu'un troupeau de bœufs, qu'il achetait quand ils avaient environ un an, engraissait et revendait à l'abattoir lorsqu'ils avaient atteint la maturité nécessaire. Il était réconfortant de penser que notre maison et nos champs avaient autrefois été peuplés par des charpentiers, des palefreniers, des cuisinières, des ouvriers agricoles, des jardiniers. J'imaginais l'endroit grouillant de vie et je prenais plaisir en constatant que leur ouvrage était toujours présent autour de moi, depuis le plancher solide et bien dessiné de ma chambre jusqu'aux carreaux à motifs de soleil qui entouraient la cheminée, en passant par le mur de pierres qui ceignait le jardin et qui, même après deux siècles, ne montrait aucun signe de faiblesse.

Sur la pelouse de devant se trouvaient des tonneaux coupés en deux qu'on utilisait comme jardinières, le bois était si vieux qu'il en était bleu. Près de la barrière, en haut du Champ du Festival, se trouvait une auge, qui en réalité était une vieille baignoire en émail reconvertie longtemps avant l'arrivée de mon père sur place. Dans une poche latérale du Massey Ferguson se trouvait un couteau à pain au manche de nacre, dont la lame portait le poinçon d'un orfèvre de Londres. Mon père s'en servait pour couper la ficelle qui attachait les bottes de foin.

À voir le ciel ce matin-là, on devinait que la pluie allait bientôt se remettre à tomber. Malgré un début de journée ensoleillé, de gros nuages s'amoncelaient sur le lac. Je savais qu'ils surplombaient mon père. Je l'imaginai allant donner le foin au bétail dans le Champ de Courses, puis lever les yeux et lâcher un juron. Il descendait ensuite de son siège, avançait en écrasant l'herbe givrée, coupait la ficelle bleue qui enserrait la balle, détachant ainsi le foin tandis que se répandait cette odeur particulière, à la fois douce et âcre, qui accompagnait sa libération. De grandes giclées de fumée sortaient des naseaux des bœufs, s'élevant dans le petit matin frisquet, tandis que les bêtes se rassemblaient en cercle étroit, se poussant pour se faire de la place, vaste anneau de muscles serrés sous le ciel menaçant.

J'entendis le tracteur revenir et je me levai aussitôt ; j'étais sous la douche quand mon père entra dans la maison. Toutefois, je réussis malgré tout à nous mettre en retard. Les minutes qu'il me fallut pour me sécher, me brosser les dents et m'habiller me filèrent entre les doigts sans que je m'en rende compte, jusqu'au moment où un poing familier frappa à ma porte.

« Par Jésus-Christ, veux-tu bien te dépêcher ? C'est trop te demander d'être à l'heure ?

— Oui, une minute. »

À notre arrivée, le parking était déjà plein. Mon père me proposa de descendre et de partir au-devant, mais je refusai : on devait se présenter ensemble. Arriver en retard était un acte public, tous les regards seraient braqués sur moi, et je voulais qu'il soit là. Il était rare que je le contredise, et il avait pour règle de ne pas réagir. Pris au milieu d'une guerre silencieuse, il était définitivement ennemi du conflit. Alors il se mit à chercher partout une place.

À l'entrée de l'église, il s'arrêta, fouilla au fond de sa poche et donna de la monnaie à une femme qui faisait une collecte destinée aux chiens-guides pour aveugles. Il plongea la main dans le bénitier, se signa – front, ventre, épaule, épaule –, puis entra.

Je gardai les mains dans mes poches. Il y avait quelques années que je n'étais pas venu à la messe le dimanche. Mes parents ne m'avaient contraint à aucune pratique religieuse. Ce n'était pas une décision prise à la légère. Quand le temps était venu que je quitte l'école primaire, il y avait eu des discussions tendues au sujet de mon avenir. En Irlande du Nord, le collège est beaucoup plus qu'un lieu où l'on reçoit une éducation : il définit votre appartenance. Celui qu'ils choisirent, St Michael, était destiné aux garçons catholiques. C'était ce qu'on appelle une école « maintenue ». Les établissements protestants étaient des écoles « contrôlées ». Comment on en était arrivé à des expressions si dénuées de sens, cela me dépasse.

Je suis sûr que mon père craignait de voir sa foi supplantée par une tradition différente, toutefois je pense que la raison principale de cette décision de ne pas me faire suivre les cours d'éducation religieuse, c'est que mes parents ne voulaient pas prendre parti. Idem pour le fait de m'envoyer dans une école catholique, cela créait une sorte d'équilibre selon eux, puisque j'étais issu d'une ferme appartenant à une lignée protestante. Fut-ce la chance ou la prudence, il n'y eut jamais de balle glissée dans notre boîte aux lettres. Il existait des propriétés où je ne pouvais mettre les pieds, et je connus quelques bagarres de temps à autre, mais il était rare que je reçoive des menaces, et je ne me faisais pas brutaliser à l'école – ce qui me paraît remarquable avec le recul. Sans doute étais-je devenu habile à garder la tête baissée. Le fait que ma mère était infirmière jouait probablement en notre faveur, tout comme l'humilité et la droiture de mon père. Il était suffisamment présent pour qu'on le connaisse, tout en s'assurant de ne jamais gêner personne. Son habileté à tout réparer était un atout. Dès qu'un tracteur s'arrêtait inopinément dans un champ, il dressait la tête, tel un chien de chasse, et si l'engin ne redémarrait pas, il abandonnait sa tâche pour filer voir ce qu'il se passait. Ses compétences en mécanique étaient renommées à des kilomètres à la ronde, aussi était-il toujours bien accueilli, quelle que soit la couleur de la terre.

À St Michael, j'étais dispensé de cours d'éducation religieuse. J'en profitais pour faire mes devoirs. De temps à autre je recevais un petit mot en classe – « Hanlon, tu es un baiseur de moutons » –, alors l'auteur du message tournait la tête pour m'adresser un regard rusé, je lui répondais par un doigt d'honneur et on en restait là. Je jouais au foot dans la cour et sur Belmore Street, en attendant les filles de Mount Lourdes pour prendre le car scolaire. À l'école, je ne pratiquais aucun sport et je n'étais pas membre de l'association athlétique gaélique. Tout le monde pensait qu'il valait mieux que je ne porte pas de maillot précis, moi y compris. Et mes camarades de classe n'étaient rien d'autre que des camarades de classe. On ne se voyait jamais en dehors du collège. Je ne leur en voulais pas. Les choses étaient ainsi faites.

On avait beau être en retard à la messe, je savais que mon père ne resterait pas au fond de l'église avec les autres retardataires. Je me faufilai derrière lui jusqu'à sa place habituelle, dans l'aile gauche, nos chaussures claquant honteusement sur les dalles de pierre. Je regardai autour de moi : toujours les mêmes têtes sur les mêmes bancs dans les mêmes sections. Dinny Grennan qui entraînait l'équipe junior de hurling le mercredi. Tom Metcalf, le coiffeur pour hommes. Breda Donoghue, la maîtresse d'école, dont les filles étaient aussi enseignantes, l'une à Galway, l'autre à Londres. Je me tenais à côté de mon père, les mains jointes, contemplant les cierges, les statues, les tableaux du chemin de Croix dégoulinants de sang.

L'organiste acheva son prélude avec lyrisme et le père O'Reilly apparut vêtu de ses habits ornés de dentelle, l'air impérieux, suivi par une cohorte d'enfants de chœur. Ceux-ci prirent chacun leur place, agenouillés sur les dalles, tandis que le père O'Reilly allait jusqu'au pupitre et levait les bras pour commencer la cérémonie, les mains ouvertes, ses vêtements ondulant autour de lui. En me représentant la majesté de cette posture aujourd'hui, je songe à une figure ancienne, celle du chaman debout devant le feu, prêt à entrer en contact avec une puissance supérieure.

J'avais beau aller rarement à la messe, les paroles me revenaient aisément, même si je ne les prononçais pas à voix haute. Il ne s'agissait pas d'un écho dans ma tête, mais plutôt de remettre les pieds dans le courant du ruisseau. Une sensation qu'on ne peut raviver à moins de s'y engager. L'absence de changement peut s'avérer aussi surprenante que le changement lui-même.

Mouvements, gestes, mots.

Génuflexions. Croyances. Eucharistie. Consécration. Confessionnaux. Encensoir. Encens. Crucifix. Calice. Sacristie. Nef. Abside. Voûtes. Vitraux. Arcs gothiques. Fonts baptismaux.

Autour de moi, des retraités disaient leurs rosaires, marmonnant tout du long dans le respect des préceptes de la liturgie en latin, car les réformes de Vatican II – quand il avait été décidé que les messes seraient dites dans les langues vernaculaires – étaient encore trop radicales pour eux, même des décennies plus tard.

Tandis que le père O'Reilly passait aux annonces locales, avant la bénédiction finale, je me souviens d'avoir levé les yeux vers les vitraux : il était difficile de déterminer où ils s'arrêtaient et où commençait le plafond, la délicate lumière du matin brouillant toute distinction et les histoires de la Bible devenant plus vagues à mesure que s'élevaient les panneaux scellés au plomb.

À la sortie, je reconnus d'autres visages. Michael Carragher, le pharmacien. Frank Devine, le marchand de tissu. Joe Burke, le commissaire-priseur. Les femmes autour de nous se pressaient de rentrer chez elle pour préparer le déjeuner. La plupart des hommes prirent la direction du pub Blake.

Après la messe, mon père et moi étions partis dans la grand-rue. L'averse tombait dru, déterminée. Nous n'avions qu'un parapluie car j'avais laissé le mien accroché au porte-manteau dans l'entrée, aussi était-on forcés de se coller l'un à l'autre, lui menant la marche, tenant le parapluie au-dessus de nous, moi juste derrière, essayant de ne pas lui marcher sur les talons, tous deux mal à l'aise à cause de cette trop grande proximité.

On s'était positionnés juste en face de Quay Lane en attendant que la cérémonie commence.

Plus loin dans la ruelle, je voyais la fanfare Ballyreagh Silver Band s'impatienter dans une cour, leurs uniformes vert et rouge apportant une flamboyance d'automne au décor gris ardoise.

Nous étions entourés de familles. Des pères avec des petits juchés sur leurs épaules, des mères serrant bien la main de leurs plus jeunes qui n'avaient qu'une envie : détaler à travers la rue dépourvue de voitures. Ma mère me manquait, je regrettais de ne pas l'avoir accompagnée à cette cérémonie par le passé. J'étais triste de ne jamais avoir assisté à la parade en sa compagnie.

Tandis que les secondes qui séparaient 10 h 42 de 10 h 43 s'égrenaient, mon propre sens de la temporalité se trouva bouleversé. Depuis je ne l'ai jamais complètement recouvré.

Chaque instant me revient avec la précision d'un tableau. Le temps s'étira en un moment de calme prolongé. Tout ce que je ressentis au cours de ces secondes, ce fut une sorte d'échappée physique, pareille à un tour de magie. J'étais à la fois présent et absent. Je voyais, sentais, goûtais l'instant sous un autre angle, je l'assimilais, comme si le cartilage qui reliait mon corps à son intérieur s'était relâché et que je flottais en dehors de moi-même.

Dans la ruelle, je vis le tromboniste regarder sa montre.

Une gouttière qui fuyait.

Un pigeon se poser sur le rebord d'une fenêtre.

La pluie sautiller sur la boîte où l'on postait le courrier, semblable à de l'huile dans une poêle brûlante.

Une odeur âcre dans l'air.

Une alarme se déclencha. Lointaine, insubstantielle.

Vibrations dans mes pieds.

Une autre alarme.

Les vibrations remontèrent dans mes jambes, ma poitrine.

Personne n'y prêtait attention, la foule faisait ce que font les foules.

Je me tournai vers la droite et mon regard se posa sur le mur des Salles de lecture. Je vis ce mur se dilater, enfler.

Puis le néant.

Quand j'ouvris les yeux, la rue n'était plus telle que je la connaissais. Elle était recouverte d'un linceul de poussière, hérissée de cris. Elle ne s'ouvrait plus que d'un côté, ce n'était plus une voie de passage mais un cul-de-sac. Les hommes en chapeau melon étaient plantés là, un coquelicot à la boutonnière, immobiles, à croire qu'ils attendaient le bus. Des gens se couvraient les oreilles. Il y avait des adolescents vêtus comme moi – anorak et fine cravate – et des femmes portant des tuniques rouges ou des manteaux gris : les infirmières de St John's Ambulance Brigade. Une religieuse passa devant moi, flottant dans son habit soulevé par le vent, emporté par son mouvement. Des policiers en retraite dans leurs uniformes verts, certains portant une écharpe orange en travers de leur poitrine. Des soldats en tenue de combat, avec casques et rangers, armés de leurs fusils SRL. Des vétérans en costume, arborant leurs médailles, transportaient une guirlande de coquelicots. La fanfare du Ballyreagh Silver Band arriva en masse, instruments de cuivre à l'épaule. Des enfants cherchaient refuge dans les bras de leurs parents. Les personnes ne s'enfuyaient pas en courant : elles titubaient. Allaient les unes vers les autres. Demeuraient immobiles. Observaient. Celles qui couraient se dirigeaient vers le bâtiment effondré, ajoutant au chaos, à l'éboulement de briques et de corps, leurs habits du dimanche recouverts de poussière. Une poignée de gens jetaient des briques sur la route; parmi eux, mon père. La construction en ruine encadrait la scène. Ardoises disparues. Le treillis de la charpente exposé, telle une cage thoracique déchirée. Je vis un tambour dégager les jambes d'un homme. D'une main, il débarrassait les gravats, l'autre tenant encore ses baguettes. Un flot d'habitants sortait des maisons voisines. Quelqu'un m'aida à me relever. On me parla, et je hochai la tête. Je vis mon père sortir un cadavre en le portant sous les aisselles. Quelqu'un d'autre tenait les pieds. Ils le reposèrent par terre, le contemplèrent, puis s'agenouillèrent. Mon père retira sa veste en commençant par le bras gauche, comme je l'avais vu faire des centaines de fois, puis il en recouvrit le mort et retourna dans la cohue.

Une femme le suivait, elle souleva la veste, regarda, puis la reposa doucement.

5

MON PÈRE ET MOI n'avions pas besoin d'être hospitalisés. Inutile d'aller là-bas encombrer les lieux. Les militaires arrivèrent et sécurisèrent le site de l'attentat, puis, avec des mégaphones, encouragèrent les gens à rentrer chez eux, songeant sans doute que plus ceux-ci demeuraient sur place, plus le risque d'échauffourées augmentait. Ils se trompaient. L'humeur n'était pas à la colère, mais à une tristesse sans nom ; la foule n'avait pas envie de causer davantage de dommages.

Près de la rivière, deux ambulances prodiguaient les premiers soins. Mon père m'y amena pour me faire examiner puisque j'avais perdu connaissance. Le médecin me braqua une torche dans les yeux, me posa des questions, vérifia mon équilibre et conclut que tout allait bien.

Quelques personnes vinrent nous voir pour nous dire à quel point la situation était terrible, nous étions d'accord avec elles, et elles passèrent au groupe suivant. Nous n'avions plus rien à faire sur place. Plus qu'à rentrer à la maison. Il nous fallait à présent du calme, un sanctuaire, l'explosion vibrait encore en nous. Mon père dit qu'il avait un veau malade à soigner. C'était une excuse comme une autre, et on reprit le chemin de la voiture, déboussolés, arrachés à nos corps. Malgré le fracas ambiant, les sirènes des ambulances, les camions de l'armée, les pleurs des personnes encore sous le choc, il régnait un calme profond. L'atmosphère était lourde. Je me rappelle ce sentiment d'avoir fait partie d'un tableau, tout ça n'était qu'un tableau, ou une de ces scènes mécaniques où les automates se mettent en mouvement quand on introduit une pièce dans la fente.

Une fois à la maison, chacun prit une douche, puis on déjeuna, mon père alla voir comment se portait le veau et vaqua à ses occupations. Je ne me souviens plus de ce que je fis alors, peut-être que je lus un livre, ou bien traînai-je à travers cette grande maison solitaire. Même après le choc de cet événement meurtrier, on n'arrivait toujours pas à se parler, on ne savait pas comment faire.

Ce soir-là, on regarda ensemble les nouvelles à la télé. L'IRA avait publié un communiqué reconnaissant sa responsabilité. Leur cible, disaient-ils, était les soldats de l'Ulster Defence Regiment qui devaient défiler près du monument aux morts. Aucun soldat encore en activité ne fut blessé. Au moment de l'explosion, ils venaient juste de démarrer, en formation, depuis un parking tout proche. Ils étaient en retard, leur officier de commande avait été retenu.

Même s'ils avaient été là, le communiqué de l'IRA n'aurait pas eu grand sens, car, comme toujours, la foule s'était massée entre les Salles de lecture et le monument aux morts. Elle était si compacte qu'elle poussait contre les barrières bleues qui délimitaient l'espace. Ces gens-là furent les premières victimes de la déflagration.

L'IRA affirma que la bombe était équipée d'un détonateur télécommandé qui avait été déclenché involontairement par un signal radio de l'armée. Mais les jours suivants, quand les forces de sécurité découvrirent les débris d'un retardateur électronique, cette affirmation fut contredite : le retardateur ne pouvait pas être modifié.

Finalement, les experts de l'armée conclurent que l'engin explosif avait été placé dans une petite pièce au rez-de-chaussée des Salles de lecture, juste sous l'escalier. Deux hommes avaient dû suffire à le déposer là, si l'on se référait à d'autres opérations de l'IRA. L'un pour s'occuper du retardateur, l'autre pour faire le guet. Il était aussi probable que le second soit un gars du coin, dont la présence n'aurait pas éveillé les soupçons d'Eamon Goodwin s'il avait continué à chercher et qu'il soit tombé sur lui. L'autre, d'après les rumeurs qui se répandirent en ville ensuite, appartenait à l'unité sud de l'IRA du comté de

Fermanagh. Cette théorie semblait justifiée à plus d'un titre. Cette branche locale de l'IRA possédait une grande expérience des bombes. Or celle-ci était constituée d'un mélange d'engrais et de carburant. En considérant la volatilité de ces matériaux, la taille et l'efficacité de l'engin, il paraissait évident que celui qui l'avait conçu savait ce qu'il faisait.

Après que les deux hommes eurent déposé leur bombe et réglé le retardateur, il n'y avait plus aucun moyen de contrôler l'explosion. Les retardateurs étaient d'habitude utilisés dans des zones peu peuplées, ou au moins l'explosion était-elle précédée d'un appel à la RUC – les forces de police – afin de faire évacuer les lieux. On avait beau chercher des explications, on n'en trouvait pas. Il était impossible que les informations détenues par l'IRA au sujet de la cérémonie soient fausses : le rituel se déroulait toujours au même endroit, exactement de la même manière. L'usage d'un retardateur signifiait que l'IRA avait délibérément visé des civils. C'était un massacre. Et ça aurait pu être pire. Une autre bombe avait été déposée à Tullyhommon, à environ vingt-cinq kilomètres. Le défilé se composait en majorité d'adolescents. Une chance inouïe leur avait permis de poursuivre une vie normale, remplie d'activités : la bombe de quatre-vingt-dix kilos déposée sur le parcours du cortège n'avait pas explosé.

Nul ne doutait qu'une limite avait été franchie et que nous entrions dans une ère nouvelle. Des débats sans fin s'ouvrirent dans les journaux, à la radio et à la télévision. Les analystes politiques prédisaient l'émergence d'une phase entièrement inédite du conflit. Margaret Thatcher promettait une augmentation considérable des troupes. Et tout au long de ces reportages, on ne cessait de nous rappeler l'heure de l'explosion : 10 h 43. Sans doute que mentionner cette heure précise contribua à graver l'événement dans les mémoires.

Tout en écrivant cela, je réalise qu'il peut sembler étonnant aux yeux d'un étranger que mon père ait décidé de demeurer avec moi dans cette maison après le décès de ma mère – nous étions en effet très exposés. Kesh, bastion loyaliste, n'était qu'à quelques kilomètres. Les gens ne devaient sûrement pas apprécier de voir un catholique mettre la main sur des terres protestantes. On courait probablement le risque que tout parte en fumée, voire pire. Néanmoins, je doute que mon père ait jamais songé à partir. La ferme était légalement à lui, mais il n'en était pas réellement propriétaire ; on n'est jamais propriétaire de la terre, on l'entretient pour la génération suivante. Ce n'était pas son héritage à lui, mais le mien. Pour lui, partir eût été renoncer à son devoir. Je ne sais pas quand il se rendit chez Mr Hogan, notre notaire, mais cela dut être difficile pour lui de voir le nom de ma mère disparaître des actes de propriété et de lire, dans une langue officielle et froide, qu'il était désormais le seul propriétaire. Continuer à exploiter la ferme, vaquer à ses tâches habituelles et à celles de son épouse – faire les comptes, commander les aliments pour le bétail, s'occuper de la paperasse auprès du département de l'agriculture : pour lui, cela devait revenir à danser la valse tout seul.

Peut-être les gens du coin considérèrent-ils que mon père avait déjà son lot de soucis. En tout cas, personne ne frappa jamais à notre porte la nuit pour nous dire que nous n'avions plus notre place à Lisnarick.

Je ne pense pas qu'il soit excessif de ma part de déclarer que dans les semaines qui suivirent, la tragédie de l'attentat lui procura un certain réconfort. La ville était désormais en deuil, c'était comme si tout le monde vivait à présent la même chose que lui. Et cela lui donna un objectif. Il devint volontaire pour organiser les manifestations en faveur de la paix qui se mirent alors à fleurir un peu partout. Il se forgea une réputation de bon technicien. Plusieurs fois, je l'accompagnai dans ces salles municipales où on buvait du Coca éventé en mangeant des sandwichs tièdes ; je l'aidais à hisser les amplis sur l'estrade, puis à les remettre dans notre voiture quand tout était terminé. Il se tailla même une petite réputation dans le coin car, une fois les dignitaires locaux bien alignés sur leurs chaises, il procédait toujours à une ultime vérification du micro en le tapotant et en marmonnant quelques mots rapides, faisant ainsi taire tout le monde afin que le modérateur puisse commencer. C'était si fréquent que mes camarades d'école l'avaient surnommé « Test-un-deux-trois ».

C'était cette façon formelle de procéder qui calmait l'assistance : vérifier une dernière fois que le micro fonctionnait était en quelque sorte le signe que tout était prêt ; mais je pense que le silence du public venait aussi du fait qu'il se reconnaissait dans l'attitude de mon père. Sa tristesse battait résolument en lui, et il était évident qu'il ne s'y abandonnerait jamais complètement, mais qu'elle ne le quitterait pas non plus : il lui fallait s'habituer à vivre avec, comme nous tous.

De mon côté, je me souviens qu'au cours de ces semaines, j'éprouvai le besoin d'être touché. D'étreindre ou d'être étreint. Acte simple qui vous paraît impossible quand vous n'y avez pas accès. Ma mère me manquait plus que jamais. Je dormais d'un sommeil sans rêves. J'allais à droite à gauche sans rien ressentir. Un autre garçon dans ma situation se serait rebellé, aurait dévalisé le bar de son père, pris sa voiture sans autorisation. Pour moi, ce n'était pas une solution. Nous vivions au bord d'un précipice.

Le 8 décembre, un mois pile après l'explosion, je me réveillai nauséeux. Je me souviens précisément de la date car nous n'avions pas cours : c'était la fête de l'Immaculée Conception. J'avais du mal à regarder le papier peint, les roses semblaient bouger, se courber, se tordre. Je me levai, mis mes chaussons et descendis à la cuisine en me traînant. Mon père prenait son petit déjeuner. Il posa son journal et me regarda.

« Tu n'as pas l'air dans ton assiette.

— Je ne me sens pas très bien.

— Allez, mange un peu de porridge. Ça va te ravigoter. »

Je versai une louche de porridge dans mon bol et j'en pris quelques cuillerées. Je ne pus en avaler davantage. Les fenêtres de la cuisine étaient toutes petites, et même le matin, la lumière était allumée. C'était un tube fluorescent accroché au-dessus de la table. Je détestais ça, et plus encore ce matin-là, car la lumière me brûlait les yeux. Mon père me regarda touiller mon porridge, puis il se leva, alla me remplir un verre d'eau dans l'évier et le posa à côté de moi.

« Tiens, remonte dans ta chambre. Laisse ce bol et prends donc ça avec toi. »

Dans mon lit, je me tournai et me retournai en essayant de dormir. Je n'arrivais pas à trouver la bonne position. Les draps étaient pareils à du papier de verre, les roses s'enroulaient les unes autour des autres, et le tintement de la pendule en bas résonnait sous mon épiderme. J'avais l'impression d'habiter le corps de quelqu'un d'autre, d'être recroquevillé à l'intérieur d'une peau qui avait rétréci autour de moi. La pendule sonnait les heures, les demi-heures plus discrètement, et elle émettait un petit *ding* aux quarts. Au bout d'un moment, j'en eus assez. Je résolus de descendre l'envelopper dans une couverture et de la déménager dans l'arrière-cuisine. Mon père comprendrait. Je me traînai dans l'escalier, les jambes en coton. Cette fois, je n'avais pas pris la peine de mettre mes chaussons. La moquette me faisait l'effet d'une toile de jute sous mes pieds. Puis le carrelage dans le couloir. L'épais tapis du salon. En arrivant devant la pendule, je ne pus m'empêcher d'observer l'heure qu'elle marquait. 10 h 43. Coïncidence, bien sûr, mais je restai interdit. Je regardai les aiguilles en écoutant le tic-tac, et mes nausées s'amplifièrent. Le sol tanguait sous mes pieds comme si j'étais sur un bateau, quand soudain quelqu'un entra dans la pièce, derrière moi. Je sentis une ombre se glisser près de mon épaule droite. Puis j'entendis une voix me murmurer à l'oreille une question pleine d'urgence.

Comment tu t'appelles, fiston ?

Je regardai dans le miroir. Personne. Je me retournai vers la porte. Mon bras fit un moulinet dans l'air, incontrôlable, pièce d'une machine qui ne répondait plus.

Et puis le néant.

À mon réveil, mon père était penché vers moi, l'air grave. Agenouillé à mes côtés, il avait posé la main sur mon front.

« Ça va ? »

Je répondis quelque chose, je sentis bouger mes lèvres, mais je ne pus entendre les mots qui sortaient de ma bouche. Je lus sur ses traits le soulagement.

« Pour l'amour du ciel, tu m'as fait peur. »

Il m'aida à m'asseoir. Élancements dans tous mes membres. J'avais dû me cogner brutalement par terre. Je mis la main sur ma nuque. J'avais toujours l'impression qu'une personne très costaude la serrait.

« Qu'est-ce qui s'est passé ? Tu as tourné de l'œil ?

— Ouais, sans doute. »

Je baissai les yeux et m'aperçus que je m'étais pissé dessus, mon pantalon de pyjama était trempé de la taille aux genoux. Mon père me parlait toujours. Il avait l'air de ne rien avoir remarqué.

« Je peux avoir un verre d'eau, papa ?

— Bien sûr, mon fils. Attends une seconde. »

Il quitta la pièce et je me levai. J'avais l'impression de sortir d'une terrible bagarre, mais je tenais mieux sur mes jambes à présent. Ma peau était redevenue ma peau. Je grimpai l'escalier pour aller me doucher, je me lavai avec soin, m'enveloppai dans une serviette, mis mon pyjama en boule au fond d'un sac en plastique que je nouai car je ne voulais pas que mon père sente cette odeur. En ouvrant la porte de ma chambre, je vis qu'il avait posé le verre sur ma table de chevet. Je m'habillai et redescendis à la cuisine.

Mon père était toujours vêtu de sa tenue de travail. Penché sur l'évier, il regardait quel temps il faisait dehors. C'était une belle journée.

« Alors, tu te sens mieux ?

— Ouais.

— Tiens, dit-il en me tendant un thermomètre, fourre-moi ça dans ta bouche. »

Je glissai le thermomètre sous ma langue, le maintenant en place avec mes dents. Le bout métallique avait un goût horrible. Mon père coupa du pain pour me faire un sandwich, prit la bouilloire sur la cuisinière, mit un sachet de thé dans une tasse et y versa de l'eau bouillante. Il alla chercher du lait dans le frigo de l'arrière-cuisine. Puis il tendit la main et je lui remis le thermomètre.

Il le tourna pour bien voir la bande de mercure contre la jauge et le secoua pour le remettre à zéro.

« C'est normal, dit-il. Je pensais que tu avais de la fièvre.

— Ah bon. »

Il se pencha en avant, m'ouvrit grand les yeux en écartant mes paupières pour mieux voir. Il me dit de regarder en haut, en bas, observant le blanc de mes yeux.

« Tu es sûr que tu te sens mieux ?

— Oui.

— Tu crois que je devrais appeler le docteur Murray ?

— Non, ça va. J'ai juste tourné de l'œil, papa, c'est rien. »

Un autre aurait profité de la situation, mais je ne voulais pas être coincé à l'intérieur toute la journée, tout seul.

« D'accord. Avale donc ton sandwich. Il y a une clôture à réparer dans le Champ de Courses. Je dois m'en occuper. Tu veux me donner un coup de main ? Ou tu peux rester lire, par exemple.

— Nan, je viens avec toi. L'air frais, ça va me faire du bien. »

Ce fut le cas. En allant au Champ de Courses, debout dans la remorque du tracteur, j'éprouvais toujours cette sensation que quelqu'un se trouvait près de moi, autour de moi, comme quand on a l'impression d'être observé de loin. Mais après deux heures passées à réparer la clôture – à tirer les fils de fer barbelés, à enfoncer les poteaux dans le sol à coups de masse –, c'était terminé. C'était juste un truc bizarre qui m'était arrivé. On n'explique pas tout. Le soir, je me jetai sur mon dîner et je dormis normalement, sans plus guère repenser à cet incident jusqu'au mois suivant, en cours de chimie avec Mrs Moran. Assis sur mon tabouret de laboratoire, j'eus l'impression de perdre l'équilibre. Goût métallique dans la bouche, sensation d'une ombre qui s'approchait : j'entendis à nouveau un homme murmurer cette question à mon oreille droite – *Comment tu t'appelles, fiston ?*

Puis le néant.

Je me réveillai dans le bureau de Mr Conway, le principal. J'étais allongé par terre, et il était agenouillé à côté de moi, me tenant la main. Avoir été transporté comme par magie depuis le labo de chimie jusque-là était déjà assez étrange en soi, mais le plus bizarre, c'était qu'il me tienne la main. Il me parlait très doucement. Dans ma bouche, le goût du sang, qu'il essuyait d'ailleurs sur mon menton tout en prononçant des paroles apaisantes. C'est seulement après m'être redressé, avoir bu un verre d'eau et vu les graphiques accrochés au mur que je compris que tout ça était réel. J'avais pourtant l'impression de rêver. Cet environnement m'était familier, pourtant la situation n'avait rien de normal.

Quand j'eus fini mon verre d'eau, Mr Conway s'assit à côté de moi et m'expliqua ce qui s'était passé : j'avais sans doute fait une crise d'épilepsie. Son frère en souffrait également, et il me dit de ne pas m'inquiéter, car il suivait un traitement, prenait des médicaments et se portait à merveille désormais. L'ambulance arriva et Mr Conway m'accompagna. Il continua à me parler pour me distraire. Me raconta qu'il adorait les lévriers. Il en avait plusieurs et me les décrivit. Cela ne m'aida pas à retrouver le sens de la réalité. Il aurait aussi bien pu me dire qu'il était champion de gymnastique.

À l'hôpital, en remplissant le formulaire d'admission, je regardai la date : 8 janvier. Le cours de Mrs Moran avait lieu de 10 heures à 11 heures. Je n'en avais pas la preuve, mais j'étais certain que ma crise s'était produite exactement comme la dernière fois, à 10 h 43. Je n'en parlai à personne, c'était trop ridicule. Le médecin me demanda si j'avais ressenti quelque chose de particulier durant la matinée, mais je répondis que non. Qu'est-ce que cela aurait changé que je lui parle de cette présence ? Qu'aurait-il pu faire ? Lui dire de s'en aller ?

Je ne me rappelle pas si je pensai à nouveau à cette voix au cours des quelques jours où ils me gardèrent en observation. Sans doute que oui, mais je ne m'en souviens pas. Peu après, on me renvoya à l'école avec un traitement, et la vie reprit son cours normal. Personne ne se moqua de moi à la suite de cet incident. Nul ne me traita de débile. Je pense que l'attentat avait calmé tout le monde.

Philip Cooney, qui était assis à côté de moi en classe, me raconta comment les choses s'étaient déroulées. Il me dit que j'avais tiré sur ma chemise, claqué les lèvres, que je n'arrêtais pas d'essuyer mon nez d'un revers de main. Il avait essayé de m'en empêcher, mais je n'avais pas prêté attention à lui. Et puis tout à coup, je m'étais mis à me tortiller sur mon tabouret. On aurait dit que quelqu'un m'étranglait avec une corde invisible. Lorsque j'étais tombé, cela avait fait un tel vacarme que tout le monde avait eu peur que je me sois fracassé le crâne, et du sang avait jailli de ma bouche car mes dents s'étaient plantées dans ma langue.

Ce fut tout. Il n'y eut pas d'autre crise. Les médicaments étaient si efficaces que j'oubliais souvent que je souffrais d'épilepsie. Plus tard, à l'université, je négligeai de prendre mes médicaments, et puisqu'il n'y avait pas de conséquences, je finis par totalement les arrêter. À vingt-cinq ans, les crises d'épilepsie n'étaient plus qu'un élément bizarre de mon passé parmi d'autres – inconnues de ceux qui m'entouraient car je n'avais jamais eu de raison d'en parler –, jusqu'à ce qu'elles reviennent, des décennies plus tard, sur un autre continent, dans une autre vie.

Je repense souvent à la description de Philip Cooney : mon corps pris de soubresauts sur le sol du labo, comme possédé par un fantôme. Je me demande si l'automate que Philip vit ce jour-là était une version de moi-même. Je ne crois pas. Ou du moins, je ne le ressens pas ainsi. Comment mon corps pourrait-il bouger de manière inconsciente alors que je suis éveillé ? Où va mon esprit lorsque je me livre à cette routine dépourvue de sens, digne d'un robot ? Et qu'est-ce qu'on étrangle en moi ?

J'écris « moi », même si je sais très bien que sur le plan neurologique le moi n'existe pas. J'ai lu suffisamment pour savoir que les processus mentaux qui permettent l'existence d'une conscience de soi – sentiments, pensées, souvenirs – n'ont aucun point de convergence ; ils sont dispersés dans le cerveau, reliés uniquement par des impulsions électriques aléatoires. Prenez un cerveau dans votre main et vous chercherez en vain quelque chose qui ressemble au moi au cœur de cette matière visqueuse. Si vous l'examinez de près, vous pourrez seulement conclure que nous n'avons pas de centre, nul endroit qu'on puisse pointer du doigt en disant : « Je suis là. » Nous sommes tous épars et discontinus. « Je » est le fruit d'un instrument qui échafaude des histoires. Mais on le comprend seulement quand cet instrument montre des faiblesses. Sauf que « je » et « nous » ne racontent pas d'histoires. Ce sont les histoires qui nous racontent.

L'épilepsie est causée par une explosion anormale de l'activité électrique dans le cerveau. Cet état reste dormant jusqu'à l'explosion, et après, pas moyen de revenir en arrière. La première crise déclenche une réaction en chaîne qu'on peut calmer, mais pas effacer. Dans la salle d'attente du docteur Ptacek, j'ai lu une brochure qui disait : « On peut dire que chaque crise résulte de celles qui l'ont précédée, et qu'elle est la cause de celles qui la suivront. » Cela m'a rappelé la routine de mon père les matins d'hiver : il finissait de lire le journal au petit déjeuner, puis le passait sous l'eau dans l'évier avant de l'emporter dans le salon où il s'agenouillait près de l'âtre et y déposait les dernières braises, qu'il empaquetait et laissait ensuite sur place, endormies, jusqu'à ce qu'il soit temps de ranimer le feu.

On m'a expliqué que les intuitions que j'avais, et que j'ai toujours – l'approche de l'ombre, la question murmurée –, entrent dans la catégorie des auras sensorimotrices. Les crises d'épilepsie s'accompagnent souvent d'une aura – dire qu'elles la « préemptent » serait le bon terme. Celles-ci prennent différentes formes. Certaines personnes flairent une odeur de caoutchouc brûlé. D'autres, un goût métallique au fond de la bouche. Le musicien Neil Young décrit les choses ainsi : « Avant de glisser dans l'autre monde, on se sent tout bizarre et plein d'échos. »

William Gowers, un neurologue du XIXe siècle, rapporta que chez un de ses patients, les crises d'épilepsie étaient annoncées par une crampe douloureuse montant peu à peu du côté gauche de sa poitrine, qui se transformait en « sifflement de locomotive » quand elle atteignait son oreille. Puis, de manière soudaine et invariable, il voyait devant lui une vieille femme vêtue d'une robe marron empesée qui lui tendait quelque chose d'où se dégageait une odeur de haricots braisés.

Dans les années 1950, un conducteur de bus à Édimbourg entendit un chœur d'anges. Les passagers le virent se mettre à rire d'allégresse, euphorique. Il leur dit ensuite combien il était heureux d'être au paradis avant de s'écrouler dans l'allée. On rapporte qu'un patient de l'hôpital de Maudsley, à Londres, atteignait d'abord un fort degré d'excitation sexuelle avant d'être emporté par la crise chaque fois qu'il voyait une épingle à nourrice.

Une soprano de Hanovre avait la sensation qu'un corbeau était perché sur une branche à l'intérieur de ses poumons. Dans un premier temps, elle avait du mal à respirer, puis l'oiseau se mettait à battre des ailes et s'envolait par sa gorge tandis qu'elle poussait une aria et que les convulsions commençaient.

Avec le recul, ce qui me surprend, c'est que j'aie cessé de me demander d'où venait cette voix, en fait, je l'avais même complètement oubliée. Certes, les crises s'étaient arrêtées et je n'avais plus aucune raison de penser à l'homme dont j'entendais la voix, pourtant il me paraît surprenant que je n'aie pas rêvé de lui, que je ne l'aie pas dessiné, que je ne me le sois pas représenté quand je rêvassais en pleine journée devant mon café. Je n'ai jamais regardé de visage dans un album photo en me demandant si c'était à ça que ressemblait cette silhouette dans ma tête.

6

POURQUOI LES CRISES ont-elles repris ici, maintenant, à ce stade de ma vie ? Ce n'est peut-être pas tout à fait un hasard. Elles se sont produites aux moments charnières de la disparition d'une personne aimée et de l'arrivée d'une autre – une vague montant en puissance, l'autre se dissipant.

Il y a six mois, fin novembre, j'ai mis fin à ma relation avec Camille. Mon ex-femme (j'ai toujours du mal à utiliser ce préfixe) et moi, on rentrait à Brooklyn depuis Chicago où on était allés assister à un mariage. Camille avait une peur panique de l'avion ; aussi, nous les évitions le plus possible. Il avait beaucoup neigé cette nuit-là. En temps normal, le voyage aurait dû durer treize heures. Cette fois, je ne sais pas combien de temps ça nous a pris, mais ça m'a paru une éternité.

En arrivant à Clinton Hill, je me suis arrêté devant notre immeuble et j'ai demandé à Camille de monter préparer du thé pendant que je cherchais une place pour la voiture. Elle a hoché la tête, détaché sa ceinture, s'est penchée pour m'embrasser sur la joue et a passé la main doucement dans mes cheveux.

« Merci de nous avoir ramenés », a-t-elle dit.

Je n'ai pas répondu. J'ai attendu qu'elle entre dans le hall, puis je me suis garé le plus près possible, j'ai pris mon sac dans le coffre, je l'ai verrouillé, j'ai jeté mes clés et mon téléphone dans une poubelle et je suis parti en laissant tout derrière moi.

Cela faisait deux ans que nous étions à New York. On s'était rencontrés à Paris, où j'avais passé des mois à travailler sur un grand projet – une bibliothèque près de la gare de Lyon. On avait fait connaissance par hasard dans un café où nous étions assis côte à côte. Il y avait deux mois qu'on était ensemble lorsque son fils, Étienne, a décidé d'aller vivre chez son père, alors la vie de Camille est partie en vrille.

Peu après, on m'a proposé un travail dans un cabinet d'architecture à New York, nous avons décidé de nous marier et de nous lancer dans l'inconnu, notre histoire encore balbutiante, concentrés sur les possibles. Mais on n'était pas encore habitués l'un à l'autre. Camille, qui était comédienne, ne connaissait personne à New York, elle avait du mal avec la langue et elle était perdue face aux conventions sociales de ce nouveau pays.

On savait tous les deux qu'on arrivait au bout de quelque chose. Camille m'appelait tous les jours au bureau. Je l'ai surprise un jour qui sanglotait dans la baignoire. Elle faisait pousser des fleurs puis s'en désintéressait, elle s'inscrivait à des cours sans aller au bout, prenait un emploi de serveuse puis s'engueulait avec les patrons. C'était un cycle perpétuel de nouveaux départs, de projets, hélas rien ne durait. Parfois, Étienne ne la rappelait pas, d'autres fois, on sentait au téléphone la présence de son père derrière lui, aux aguets, protecteur. On se querellait longuement, avec hargne, tard dans la nuit. Pendant des semaines, j'ai dormi sur le canapé. J'ai commencé à redouter de rentrer à la maison : j'ai fini par accepter d'aller boire un verre après le boulot, tout pour retarder le moment où je rentrais et devais répondre aux questions de Camille qui décortiquait ma journée.

On revenait d'un mariage dont on ne connaissait pas beaucoup les mariés – il s'agissait d'une de ces invitations qu'on accepte quand on cherche à élargir son cercle d'amis, dans l'espoir de cimenter les relations.

On avait vécu ce week-end dans un état de tension incessante. Je fuyais les conversations. Je regardais par terre. J'avais pris garde à ne pas trop boire. Toute notre relation semblait chorégraphiée, suivant une série de gestes mis en scène pour les autres.

On est repartis pour Brooklyn le dimanche matin, un jour plus tôt que prévu. Camille voulait quitter Chicago le plus vite possible malgré les intempéries. Et elle tenait absolument à conduire. En sortant de la douche, j'ai remarqué que les clés de la voiture ne se trouvaient plus à côté de mon portefeuille. Je n'ai rien dit. Elle était toujours aux aguets, si bien que je ne pouvais rien faire. Elle a boutonné sa robe par gestes saccadés.

Au petit déjeuner, on a annoncé aux autres qu'on voulait prendre de l'avance sur les retours du week-end. Peut-être que si on les avait mieux connus, ils nous en auraient dissuadés, mais ils se sont contentés de hocher la tête et, pour quelques-uns, d'afficher un air étonné.

Comme prévu, la question est tombée environ vingt minutes après notre départ. Les chasse-neige étaient à pied d'œuvre sur la route, des camions roulant à toute vitesse nous encadraient.

« Qu'est-ce qui ne va pas ? » a-t-elle demandé.

En d'autres circonstances, je n'aurais sans doute rien dit, j'aurais éludé la question jusqu'à ce qu'elle soit dans de meilleures dispositions. Mais une longue route nous attendait, et je n'avais pas la force de supporter des heures de silence délibéré, intense, écrasant.

J'ai répondu avec calme, sans mélodrame ni accusations. J'ai passé en revue la journée précédente, rien qu'une liste de faits, de circonstances, en refusant de les répéter. Je ne savais pas ce que je voulais. Juste être clair. Cesser de faire semblant, pour avoir une conversation franche, sans pièges. Je savais ce dont je ne voulais pas, et je ne voulais plus de ce silence.

Elle a lâché le volant.

Un instant, ses mains étaient sur le volant, l'instant d'après elles ne s'y trouvaient plus, elles étaient au-dessus de sa tête.

Elle avait lâché le volant.

Sans hésitation : ce n'était ni un geste décidé ni une menace. C'était comme si le volant lui avait brûlé les mains. Elle s'est mise à hurler, à pleurer. Ses bras s'agitaient en l'air, son corps tremblait, son pied est resté coincé sur l'accélérateur. La voiture roulait toujours à la même vitesse. Les choses sont devenues très simples. Le choix était clair. J'ai saisi le volant d'une main. J'ai posé l'autre sur son épaule. Je lui ai parlé avec calme et douceur. Le volant vibrait sous ma main. J'étais conscient de mon total sang-froid. C'était nécessaire. Il n'y avait que nous à cet instant. Elle criait, tempêtait. Ses mains s'agitaient toujours au-dessus de sa tête, le pied vissé sur l'accélérateur. Je ne sais pas combien de temps ça a duré. Mais nous avons passé quatre sorties.

Finalement, elle a repris le volant, nous a guidés vers une cinquième sortie et s'est arrêtée devant un fast-food. Là, elle a coupé le moteur. Je me souviens des couleurs très vives de cet endroit. Des tons criards et pastel, enfantins. Des images de burgers. On est restés assis là, à regarder les gens entrer et sortir du fast-food. Les voitures qui avançaient lentement dans le drive.

J'ai conduit jusqu'à la maison. Je ne sais ni comment ni pourquoi. Avec le recul, j'aurais dû m'arrêter dans un motel, appeler les urgences, peut-être, mais qu'auraient-elles pu faire ? Nous n'avions personne à qui téléphoner, tous nos amis et notre famille se trouvaient de l'autre côté de l'océan. Je voulais retourner à New York et, sur place, prendre une décision.

Arrivés dans le New Jersey, on était parvenus à une espèce d'équilibre étrange. La nuit était tombée. Je me concentrais sur les fonctions motrices de la conduite, sur ce qui se trouvait juste devant moi. J'étais mû par la colère, je me contenais à peine. Je voulais juste rentrer chez moi. Je ne cessais de me le répéter, de le murmurer entre mes dents : *Je veux rentrer chez moi.* Camille avait sombré dans un demi-sommeil agité. Las de cette phrase qui tournait dans ma tête, j'ai mis la radio en quête de réconfort et je suis tombé sur un air de piano. Je l'ai reconnu. *Les Variations Goldberg.* C'était lent, agréable, doucement apaisant, et la musique progressait avec une espèce de puissance balbutiante en harmonie avec la neige. Peu à peu, j'ai oublié Camille ainsi que les conséquences de cette terrible matinée et je me suis abandonné non seulement à la musique mais aussi au passé, à un épisode qui s'était produit au cours des mois opaques entre le décès de ma mère et l'attentat.

Soudain, une amie depuis longtemps oubliée se trouvait dans la voiture avec moi. Elle s'appelait Esther. Une femme, ou plutôt une jeune fille, qui avait vécu pendant quelque temps à Lisnarick, chez nos voisins les plus proches, Brian et Trudy Irvine. Il y avait des années que je n'avais pas pensé à elle, mais la musique – plus exactement la pianiste – m'a rappelé le jour où elle avait débarqué dans ma vie.

Ce soir-là, j'étais sur le lac avec Brian Irvine, on pêchait l'anguille. C'était une belle soirée d'avril, l'atmosphère était un peu humide. Ma mère était morte depuis presque deux mois, et le caractère définitif de cet événement se refermait peu à peu sur moi. Quinze jours plus tôt, ma tante Jackie était rentrée dans le Kerry après un long séjour auprès de nous. J'étais reconnaissant à Brian de m'avoir emmené à la pêche, non seulement parce que ça me faisait sortir de chez moi, mais aussi parce qu'il me proposait des distractions, n'avait pas pitié de moi. Sur le lac ce soir-là, je pouvais oublier que ma mère était morte, faire semblant que la vie continuait.

Frère et sœur, Brian et Trudy étaient des membres fervents de l'Église d'Irlande, comme ma mère. Âgé d'au moins trente ans de plus que moi, Brian était un ancien séminariste qui s'était engagé dans la RUC. Pourtant on s'entendait bien. Il ne remplaçait pas mon père, mais jouait peut-être plutôt un rôle de grand frère. Il m'acceptait auprès de lui de façon subtile, en m'invitant à l'aider dans ses activités chaque fois qu'il m'apercevait. Il m'avait appris à réparer un tonneau en plantant à l'intérieur un coin en forme de crayon dans une fissure afin qu'il gonfle quand le fût serait rempli d'eau. Il m'enseignait les noms des oiseaux et des plantes – en anglais et en latin – et me les faisait répéter : le pinson des arbres est un *Fringilla coelebs*, la perce-neige s'appelle *Galanthus nivalis*. Grâce à lui, je sais réparer un tonneau et installer des ardoises sur un toit. Il me dispensait toutes ces informations librement, moins en guise d'instruction que pour m'expliquer la vie. « Tout ça, semblait-il me dire, ce sont les règles codifiées de ce monde. Fais-en ce que tu veux. » Il ne concédait guère d'espace à l'interprétation ni aux préférences, et par conséquent il était avare de compliments. Je l'écoutais, l'observais, l'imitais, et lorsque à l'occasion il me prodiguait un mot d'encouragement, cela faisait naître en moi un sentiment de fierté, même si invariablement cette parole n'était qu'un murmure, un moment d'égarement, une pièce qu'il avait laissée échapper de sa main.

Il m'emmenait pêcher de nuit deux fois par semaine, depuis mes douze ans jusqu'à quelques mois avant l'attentat. On pêchait les anguilles. Elles suivaient les saisons. Brian m'avait expliqué qu'elles ne se reproduisaient qu'une seule fois, à la fin de leur vie, et, au cours de leur dernière année, elles entreprenaient le long voyage jusqu'à la mer des Sargasses, pèlerinage collectif qui les emmenait frayer puis mourir. Les soirs suivants, pendant toute la semaine, tandis que je faisais mes devoirs dans ma chambre, je prenais notre atlas sur l'étagère du bas et tournais les pages jusqu'à l'Atlantique, où je retraçais du bout du doigt les courants indiqués par des lignes blanches, et puis la dorsale médio-atlantique, terminant dans une mer d'azur au beau milieu de l'océan.

Quand j'eus fait mes preuves, Brian m'apprit à construire un appât spécial. Il m'expliqua qu'on ne pouvait pas pêcher les anguilles comme les autres poissons. Parce qu'elles étaient capables de nager aussi bien en avant qu'en arrière, elles ne se jetaient pas sur l'appât à la manière des brochets ; au contraire elles le prenaient dans leur gueule et reculaient sans l'avaler, par conséquent le mouvement de la ligne était insignifiant. À la moindre résistance, elles lâchaient tout. Pour les tromper, il fallait donc créer une ligne « molle ». On recourait pour ce faire au système Dyson, constitué d'un flotteur au bout de la ligne d'où un plomb tombait jusqu'au fond du lac, maintenant celle-ci tendue. À un mètre de distance, plus près de la barque, filait une ligne molle avec un hameçon au bout duquel était accroché un ver de terre qui se tortillait d'indignation.

On préparait les lignes sur la jetée. On emportait très peu de choses dans le bateau : un filet, un bâton pour assommer nos prises, un seau rempli de vers de terre et une petite lampe torche. Je ramais et Brian, assis à l'avant, cherchait le meilleur emplacement. Il m'indiquait d'aller à droite ou à gauche par gestes, et quand il voulait qu'on s'arrête, il levait le poing. On retournait rarement aux mêmes endroits. Il y avait tant d'îlots sur le Lough Erne que trois vies n'auraient pas suffi à explorer tous les sites possibles.

Après avoir trouvé une anse obscure, on s'arrêtait et on attendait, les rames rangées à l'intérieur de la barque. En général, le silence était si profond que j'entendais le mouvement visqueux des vers dans le seau à mes pieds. À cette heure, nous devenions partie intégrante du lac. Au fil des mois, des années, il s'était révélé à nous, nous avait acceptés parmi les siens, avec les roseaux, les nénuphars, les poules d'eau au pas délicat – semblable à celui d'un enfant qui a peur de se mouiller les chevilles.

Le lac était notre sanctuaire, sa tranquillité naturelle dégageait une immobilité à l'opposé des tensions de notre temps. La nuit profonde apportait du réconfort et de la sécurité, c'était le long de ses rives, près des lumières, que se concentrait le danger. L'eau était d'un noir de pétrole, sauf là où le clair de lune y tombait et la déchirait tel du papier d'argent. Au cœur de l'été, les couleurs du soir s'attardaient dans les cieux. Des tons bleu cobalt traînaient jusqu'à minuit. On observait la rosée se déposer sur les prairies alentour. Au printemps et à l'automne, la brume murmurait au-dessus des eaux, s'enroulant sur elle-même, luttant pour s'élever.

Les hérons sur le rivage étaient nos sentinelles. Quand l'un d'eux s'envolait, c'était toujours un élément d'importance. Il était facile de prévoir son mouvement. Son cou formait un point d'interrogation, puis se déployait peu à peu, à croire qu'on lui avait doucement susurré la réponse, cet allongement tirait son corps vers le haut, ses ailes s'ouvraient incidemment, ponctuant son élévation dans les ténèbres.

Dès que l'un de nous deux avait une prise, l'autre déposait sa canne à pêche dans la barque et l'aidait à tirer. Les anguilles sont fortes et déterminées. Nos cannes étaient suffisamment épaisses et souples pour suivre leur danse. On donnait du mou pour les laisser se fatiguer petit à petit. Dans le bateau, notre routine ne variait jamais. Brian attrapait d'une main calme et ferme la créature, laquelle regardait de tous les côtés, prête à sauter si l'occasion se présentait. Une fois la ligne coupée, l'anguille recrachait toujours l'hameçon, dégoûtée. Je l'attrapais alors dans le filet, la tête entrant en dernier. À l'intérieur, elle se débattait, se tortillait, jusqu'à ce que Brian lui assène un coup de gourdin sur la tête avant de lui trancher la gorge.

Comme nous, ces poissons se mettent à grisonner en vieillissant, et chaque fois qu'on capturait une anguille argentée et qu'on réussissait à l'attirer dans notre filet, je la contemplais, aussi épaisse qu'un tuyau, une livre par décennie vécue, et j'imaginais ses compagnes, en tout point semblables à celle-ci, traçant leur chemin entre les îlots jusqu'à la rivière Erne, serpentant entre Magheraboy et Belleek, se frayant un passage à travers la cluse avant d'entrer dans le Lough Assaroe pour se jeter dans l'océan depuis l'estuaire de Ballyshannon.

Ce soir-là, on fit une prise, de même qu'une douzaine d'autres fois où on avait eu de la chance cette année-là, et donc on rentra plus tôt que d'habitude. Je ramais quand Brian rompit le silence. « On a de la visite ce soir. Elle va rester un peu chez nous. Une Hollandaise, une gamine pas beaucoup plus âgée que toi. Elle devrait déjà être avec Trudy à cette heure. »

Trudy était une infirmière à la retraite. J'imaginai que la fille en question était une élève infirmière qui venait ici en stage. Ma mère en accueillait de temps à autre pendant un mois ou deux, je pensai que Trudy faisait la même chose. Je n'aimais pas ces filles. Elles voyaient en moi une espèce de patient, me parlaient sur un ton enjoué, à croire que j'étais sénile. Si jamais elles se trouvaient à la cuisine avec ma mère, elles se taisaient à mon entrée. J'imaginai la nouvelle venue du même genre, habillée à la manière d'une bonne sœur en civil.

Lorsqu'on arriva à la maison, la Hollandaise était assise sur la table de la cuisine. Elle me regarda comme un objet dans la vitrine d'un musée. Elle avait le nez semé de taches de rousseur, et seule sa tête bougeait, le reste de son corps demeurant totalement immobile. Elle avait juste quelques années de plus que moi. J'avais dans les bras le sac contenant l'anguille. Dans les deux kilos, estimait Brian. À travers l'étoffe, je sentais sa courbure, objet tubulaire.

Un homme était assis sur la chaise de Brian, vêtu d'un costume noir impeccable, la lumière du feu effleurait ses cheveux bien peignés, y allumant des reflets luisants de brillantine. La table était mise pour le dîner.

« Vous en avez attrapé une ! s'exclama l'homme en frappant dans ses mains avec exubérance. Fais-moi voir ça, mon garçon. »

Je lui tendis le sac et il en sortit l'anguille brusquement en la tenant d'un geste expert derrière la tête. Il la mit sous le nez de la fille qui s'écarta en se plaquant contre le mur. Les autres éclatèrent de rire. Pas moi. Dans la lumière de la cuisine, le poisson ressemblait à un serpent, créature sortie d'un autre monde. Moi aussi, je reculai d'un pas, même si personne ne s'en aperçut.

« Joli spécimen, dit l'homme. Trudy, vous avez une recette pour nous la cuire ? »

Trudy découpa l'anguille en tronçons qu'elle fit frire jusqu'à ce que la chair soit dorée. Dans l'assiette, ça ressemblait à de petites bûches. J'observais la fille tandis qu'elle mangeait. Elle avait du mal à surmonter son dégoût, sa tête reculant involontairement lorsqu'elle approchait la fourchette de sa bouche.

« Comment tu t'appelles ? » lui demandai-je à la fin du repas.

L'homme répondit à sa place : « Dieu nous préserve, est-ce qu'avec toute cette histoire j'aurais omis de nous présenter ? Je m'appelle Andrew. Voici Esther. Elle va rester ici un moment. Elle est venue se reposer et passer l'été ici.

— Mais on n'est pas encore en été.

— Ouais, mais la saison promet d'être belle, pas vrai ? » dit Brian.

En présence de tous ces gens, Brian était différent. Il se tenait bien droit, les épaules en arrière, son visage ridé aux aguets. Je ne l'avais jamais vu en service, les seules fois où je l'apercevais en uniforme, c'était chez lui. Son côté protecteur avec moi se manifestait par sa gentillesse. Ce soir-là, dans la cuisine, sa posture était rigide, son allure plus tranchée. Je compris alors de quoi Brian était capable quand les circonstances l'exigeaient.

La fille regardait le linge qui séchait au-dessus de nos têtes. Elle avait l'air perplexe, à croire qu'elle n'avait jamais vu ça auparavant.

« Il était bon, ce poisson, dit Brian. Tu as un truc, avec les anguilles, Simon.

— Tu n'as pas fini de manger comme ça », dit l'homme qui s'appelait Andrew.

Tout en débarrassant la table pour servir le thé, Trudy suggéra qu'Esther nous joue quelque chose au piano.

Elle hocha la tête et alla s'asseoir sur le tabouret, vêtue de son épais pull bleu. Je me suis rappelé cette anticipation qui émanait d'elle avant qu'elle ne commence à jouer, son silence semblait tout faire taire autour d'elle. Et je me suis souvenu aussi de la manière dont, à mesure que la musique gagnait en puissance, elle s'était mise à fredonner la mélodie, si captivée qu'elle semblait oublier la présence des autres. À la regarder ainsi jouer, j'avais l'impression d'avoir ouvert une porte et surpris une scène intime. Elle n'était pas en représentation, elle suivait simplement son instinct. C'était la première fois que je voyais quelqu'un manifester une telle liberté, toutes les personnes que je connaissais étaient coincées dans leur identité et le resteraient toujours. Par cette simple manière de fredonner pour s'accompagner, Esther s'était affranchie des contraintes traditionnelles qui nous emprisonnaient tous.

À mesure que Brooklyn approchait, les souvenirs défilaient en moi, en détail, je revoyais tout avec une grande clarté, et ce qui résonnait le plus profondément, c'était la confiance avec laquelle Esther avait suivi son intuition. En arrivant à Clinton Hill, quand Camille est montée chez nous, j'ai réalisé que je n'étais plus obligé de vivre une existence fondée sur des obligations, sur une notion abstraite du devoir. J'ai compris que je pouvais moi aussi vivre cette liberté, si j'avais le courage de la saisir.

7

J'AI MARCHÉ, marché. La neige étouffait les bruits de la ville. Les taxis glissaient lentement, les lumières scintillaient. Les rares personnes qui s'aventuraient au dehors se colletaient à la neige, l'assumaient. J'ai continué ainsi jusqu'à ce que le décor change. Les immeubles en grès rouge ont disparu, et je me suis retrouvé entouré de parkings et de pharmacies vendant toutes sortes d'articles. Je ne savais pas du tout dans quelle direction j'allais. Je m'en moquais, seule la distance m'importait. Finalement, j'ai compris que j'étais arrivé dans le Queens. J'avais marché jusqu'à Astoria, où j'ai trouvé un petit hôtel. Quand je suis entré, la réceptionniste m'a souri sans manifester de surprise, j'en ai conclu qu'elle avait l'habitude de voir des inconnus débarquer en pleine nuit.

« Vous êtes en rade ?

— C'est ça », ai-je répondu.

Elle m'a demandé combien de temps je comptais rester à New York et si je voulais réserver une chambre pour le reste de mon séjour.

J'ai sorti ma carte bancaire professionnelle. Je savais que Camille repérerait tout paiement effectué avec la carte de notre compte joint.

« Disons une semaine », ai-je répondu.

Elle a passé la carte dans la machine et m'a attribué une chambre au troisième étage en me montrant l'ascenseur. Je me suis vautré sur le lit et j'ai dormi tout habillé.

J'ai rêvé de Fermanagh. Des hommes en casquette jouaient au cricket dans les champs, derrière le mur de notre jardin. Une femme manipulait un diabolo, lançant en l'air la bobine de bois qu'elle rattrapait sur la ficelle attachée aux bâtons. Notre châtaignier était toujours là, agrémenté d'une balançoire fabriquée avec un pneu – qui n'a jamais existé dans la réalité – et qui attirait mes camarades de St Michael en troupeaux. J'étais debout au pied de l'arbre et je regardais ma maison. J'avais envie d'entrer par la porte de derrière et de m'adosser au fourneau pour être enveloppé de sa bonne chaleur. Mais je ne parvenais pas à franchir le mur du jardin. Il m'était impossible de pénétrer dans la maison, pourtant elle me paraissait accueillante, illuminée comme un paquebot, en bon état de fonctionnement, une douce lumière filtrait par chacune des fenêtres, de la fumée sortait des cheminées pareilles à des entonnoirs, et le moteur de mon ancienne vie battait toujours à l'intérieur.

Derrière moi les bœufs mugissaient. Je me suis retourné pour les regarder, et j'ai vu Esther parmi eux. Ses cheveux châtains tombaient de manière sévère et irrégulière sur ses épaules en mèches épaisses, les pointes éclaircies par le soleil de la même teinte que la paille dans la grange, un blond foncé voluptueux qui toujours me donnait l'impression qu'elle aussi avait été extraite de la terre et patinée par les éléments. Elle avait beau me faire face, elle ne me regardait pas. Elle tournait la tête, contemplant le lac.

Je me suis réveillé avec le désir de voir son visage, et j'ai eu l'étrange pressentiment que cela se produirait bientôt, car le choc de la veille avait ouvert une brèche en moi.

Les jours suivants ont fusionné les uns avec les autres. Je marchais et regardais autour de moi. Je contemplais les amas de neige sur les rebords des fenêtres, telles des miches de pain en train de refroidir, et les poubelles avec leurs chapeaux blancs qui ressemblaient à des champignons. J'adressais un signe de tête aux hommes qui déneigeaient devant leurs portes. Ils dégageaient une allée et y jetaient du sel, puis ils déblayaient la zone autour des pneus de leurs voitures et retiraient les journaux qui protégeaient les pare-brise. Dans Astoria Park, des gens faisaient du snowboard sur les pentes des vastes zones réservées aux pique-niques. J'écoutais leur glissement souple, le bruit d'écrasement de mes propres pas, le discret bourdonnement des lampadaires, et la rumeur du trafic sur l'autoroute 278.

À un moment, je me suis retrouvé dans une librairie d'occasion. J'ai erré entre les rayonnages pour tuer le temps. J'ai pris un livre de gravures publié quelques années plus tôt, arbres tourbillonnants, chouettes, lièvres s'enfuyant, murs de pierres en ruine, vaches aux yeux fous. Chacune des images portait en elle à la fois un mouvement d'expansion et de contraction, tout semblait se concentrer au milieu et se dissiper dans les fines lignes qui se prolongeaient au-delà des limites de la page. Et là, sur la quatrième de couverture, Esther, qui me dévisageait.

Je n'avais aucune idée de ce qu'elle était devenue. Je l'ai reconnue aussitôt, je revoyais la jeune fille sous la photo, sa moue quand elle réfléchissait à une question, le regard vif qui absorbait tout mais renvoyait si peu en retour. Son nom avait changé – en se mariant, imaginai-je. Esther Hak était devenue Esther Ascencio.

En écrivant ceci, je me sens presque obligé de dire que j'ai été surpris par cette coïncidence. Mais en vérité, je ne l'étais pas, tout cela me paraissait naturel, inévitable, une porte se rouvrait sur une vie que je n'avais pas vécue jusqu'au bout.

J'ai apporté le livre à la caisse. La vendeuse n'avait pas trente ans. Ses cheveux étaient teints en noir, avec des mèches bleues, une coupe au bol, sa frange lui barrant le milieu du front. Devant elle, des livres de physique et un cahier où étaient esquissés des diagrammes au stylo vert, avec de grandes flèches soulignant les torsions et les forces. Elle a pris le livre, cherché le prix sur la première et la dernière pages – il n'y en avait pas –, puis l'a éloigné d'elle, l'a retourné dans tous les sens pour le jauger, comme une antiquité dont la valeur pouvait être estimée d'après l'époque et le degré d'habileté de l'artisan qui l'avait fabriquée. J'ignorais si elle se livrait à cette démonstration car elle attendait que je fasse une offre, s'il s'agissait de la manière habituelle de marchander dans le Queens. Je suis resté planté là à la regarder. Son estimation finale n'avait aucun sens pour moi. J'aurais donné cinq cents dollars pour ce livre.

Enfin, elle a émis un chiffre : « Dix-sept ?

— Ça ira », ai-je répondu sans négocier, et j'ai lu la déception sur son visage.

Elle a posé le livre pour revenir à ses notes tandis que je fouillais dans mes poches, sortant enfin quelques billets froissés d'un dollar, puis, comprenant que cela ne suffirait pas, j'ai saisi mon portefeuille que j'avais rempli de billets neufs dans une station-service. J'ai mis un billet de vingt sur le comptoir, elle l'a pris, l'a lissé d'un coup, l'a regardé, puis elle a posé les yeux sur moi avec dédain. Il était clair que je ne mesurais pas la valeur d'un dollar.

Le livre était trop grand pour entrer dans la poche de mon manteau, mais je ne voulais pas lui demander un sac. Je suis sûre qu'elle se serait traînée jusqu'à la réserve et m'en aurait rapporté un, mais je voulais éviter toute conversation. Quand je suis ressorti, la neige tombait doucement, et j'ai coincé le livre dans la ceinture de mon jean. Il appuyait au creux de mon dos, à peine perceptible, m'assurant de sa présence, comme lorsque Camille me touchait en passant dans les soirées, au début où nous étions ensemble. « Je ne veux pas t'interrompre. Viens me voir plus tard. »

De retour dans ma chambre, j'ai repris le livre et contemplé le visage d'Esther. Cela me rassurait de la regarder, de tenir cet ouvrage entre mes mains. Il s'agissait d'un tirage limité, publié par une petite maison d'édition d'art pour accompagner une exposition qui avait eu lieu à Chinatown deux ans plus tôt. Elle aussi, elle avait fait du chemin, elle s'était transformée, transfigurée, elle aussi savait la solitude de l'exil. Tout ce chemin culminait, se condensait dans ces images.

Après cette première rencontre lors de ce dîner, j'avais observé Esther de loin. Depuis le châtaignier, de l'autre côté du mur de notre jardin, je la voyais parfois suspendre le linge pour le faire sécher, ou travailler dans le potager des Irvine. Elle avait le pas lourd, les pieds bien ancrés sur terre. Pour une jeune fille, elle avait les épaules larges. Elle portait toujours plusieurs couches de vêtements, avec un ciré par-dessus même s'il ne pleuvait pas, et elle avait le visage rouge quand elle bêchait la terre. Elle chantait en travaillant. Comme ma mère, naguère. Sa voix portait dans l'air immobile. Étonnamment légère. Je m'attendais sans doute à ce qu'elle soit plus grave. Elle chantait des chansons traditionnelles, peut-être même des cantiques. Je ne l'espionnais pas réellement, il n'y avait rien de répréhensible dans le regard que je posais sur elle, perché là-haut dans mon arbre.

Quelques semaines après son arrivée, je me remis à jouer sur le piano du salon, sans doute influencé par elle – je le comprends rétrospectivement. Je commençai par des chants de Noël que j'avais appris, enfant. « Away in a Manger ». « The First Noel ». « Good King Wenceslas ». Il y avait si longtemps que ce piano n'avait pas servi que les touches restaient bloquées lorsque j'appuyais dessus. Il fallut quelques semaines avant qu'elles ne remontent d'elles-mêmes, c'était une sorte de piano ivre, aux dents cassées, avec un sens de la mélodie à géométrie variable. Néanmoins, je persévérai, je crois que la nature vagabonde de l'instrument me plaisait. Un soir, j'entendis le parquet craquer, je me retournai et je vis mon père derrière moi, un crayon coincé derrière l'oreille.

« Tu t'es trouvé quelque chose, dit-il.

— Oui.

— C'est bien. »

Une semaine plus tard, un accordeur arriva. C'était un petit homme aux énormes lunettes rondes, comme celles de Dennis Taylor, le joueur de billard. Il portait une mallette de docteur en cuir, et toute l'opération relevait réellement de la procédure médicale, à tâter, triturer, pincer et écouter, l'oreille suspendue au-dessus des cordes.

Le geste de mon père me surprit, ce n'était pas son genre de cultiver ou d'encourager l'intérêt pour un objet particulier. Mais quelques jours plus tard, je compris sa stratégie. On frappa à la porte de derrière. Brian entra, flanqué d'Esther. « Livraison de prof de musique », dit-il, un rare sourire plissant son visage. Je ne savais pas s'il se réjouissait à l'idée que je joue du piano ou à celle que sa timide visiteuse hollandaise devienne ma professeure.

Il était en uniforme de la RUC, ce qui n'était pas inhabituel, il était venu chez nous de nombreuses fois ainsi vêtu. Mais il portait également un gilet pare-balles vert. Pour mon père, c'était déconcertant, et son malaise ne tarda pas à nous gagner. Le gilet pare-balles monopolisait l'attention. Brian comprit et fit marche arrière vers la porte en disant :

« Bon, ben je vous laisse. Bonne chance, Esther. N'aie pas peur de lui taper sur les doigts avec une règle. »

Elle me regardait, perplexe. Je ne savais pas quoi répondre. J'étais aussi confus qu'elle, personne ne m'avait prévenu.

Brian parti, mon père fit de même. Il se leva et voulut prendre le manteau d'Esther. Elle recula.

« Il fait si froid que ça ? » lui demanda-t-il.

Elle avait l'air perdue. Mrs O'Gorman – une femme de ménage que mon père avait récemment embauchée – la prit en pitié. « Laissez cette enfant tranquille, Peter. Tout ça, c'est nouveau pour elle. »

Mrs O'Gorman lui offrit une tasse de thé, mais elle secoua la tête. Mon père tapota ses poches et nous dit qu'il nous laissait, avant de sortir dans la cour.

Je suivis le long couloir avec Esther et je m'assis au piano. J'allumai toutes les lumières pour qu'elle découvre bien son environnement. Il faisait très froid. Nous n'avions reçu personne depuis les obsèques de ma mère. Je ne savais ni où poser les yeux, ni quoi dire. J'avais beau avoir quinze ans, je n'avais jamais parlé à une étrangère. Personne ne venait dans le comté de Fermanagh sans avoir une bonne raison. Je crois que je ne m'étais jamais retrouvé seul avec une fille ayant seulement quelques années de plus que moi. J'attendais qu'elle parle la première – puisqu'elle était plus âgée, qu'elle était ma prof, bref, la personne responsable –, mais elle ne disait rien.

« Tu as des frères ? » demandai-je. J'ignore pourquoi je posai cette question. Sans doute voulais-je savoir si j'étais aussi étranger pour elle qu'elle l'était pour moi. Et aussi rompre ce silence gênant.

Elle me regarda droit dans les yeux. Elle avait dû être déroutée par cette question directe. Elle désigna le piano de la tête. « Qu'est-ce que tu sais jouer ? » demanda-t-elle.

Je me lançais dans « Douce nuit, sainte nuit ». En appuyant sur la dernière touche, je me tournai vers elle pour avoir une réponse : elle souriait - d'un sourire intérieur - en secouant la tête.

« C'est tout ? » dit-elle.

Sa réflexion me vexa. Une professeure était censée vous encourager.

« Je connais d'autres chants de Noël.

— Tu connais d'autres chants de Noël. Tu as quel âge ?

— Quinze ans. »

Elle se leva et regarda autour d'elle.

« Vous avez beaucoup de chevaux ?

— Non, on n'en a pas.

— Alors pourquoi vous avez toutes ces photos de chevaux ?

— Elles étaient déjà là, avant ma naissance.

— Ils étaient célèbres ?

— Non. Il y a eu un lévrier célèbre à Kesh. Il appartenait au prêtre. Il a gagné le Champion Derby.

— Donc tu ne connais pas ces chevaux.

— Non. »

Il y en avait beaucoup en effet. Je n'y avais jamais vraiment prêté attention auparavant. Esther manipulait des objets, puis les reposait. Sur la cheminée, de chaque côté de la pendule de mon père, deux cloches en verre abritaient des animaux empaillés, comme surpris en pleine action - un faisan à la posture très cérémoniale, et un merle surpris par un bruit soudain.

« C'est un merle, c'est ça ?

— Ton anglais est meilleur que je ne l'aurais cru. »

Elle ne répondit pas.

La photo de mariage de mes parents se trouvait sur la dernière étagère de la vitrine. Esther prit une chaise, grimpa dessus et la descendit. Mon père et ma mère étaient entourés d'infirmières et de dockers. Le contraste était vif. Des hommes simples, vêtus de pauvres costumes, et un groupe de femmes sur leur trente-et-un.

Elle tourna la photo et me montra ma mère.

« C'est ta mère, hein ?

— Oui.

— Il n'y a pas de vieilles personnes sur la photo ? Où elles étaient ?

— Ils se sont mariés dans un bureau.

— Un bureau ?

— À la mairie.

— Et alors ?

— Ben, en fait, pour mes grands-parents, ça comptait pas. Ce n'était pas l'église.

— OK. » Elle hocha la tête, ceci expliquait cela. « Trudy m'a parlé de ta mère. Tu es toujours triste ? »

Je baissai les yeux vers le clavier.

« Bien sûr que oui, reprit-elle. Regarde cette maison. »

Je contemplai la pièce. Pas de feu dans la cheminée, totalement vide. Le mobilier datait des années 1950 et il avait vécu. Deux chandeliers de métal étaient accrochés à la façade du piano rongé par les vers. La plupart des photos montraient des chevaux. Je n'avais jamais fait attention à tout ça jusque-là. Cette putain de pendule. Ces putains d'animaux empaillés. Et il faisait si froid que mon souffle formait de petits nuages.

Mrs O'Gorman entra en refermant la porte. « Vous avez assez chaud tous les deux ? On pourrait faire du feu.

— Ça ira, merci, Mrs O'Gorman.

— Et toi, tu ne joues pas encore, mon garçon ? Allez, assez traînassé.

— Esther m'expliquait les notes. » Elle était toujours debout sur la chaise et contemplait la photo. Mrs O'Gorman attendit qu'Esther revienne à sa place près du piano.

« OK, Simon, recommence », dit-elle.

Je jouai à nouveau « Douce nuit, sainte nuit ». Mrs O'Gorman s'en alla à la fin du premier couplet.

« *Kutwijf !* Cette femme est comme Mien Dobbelsteen.

— C'est qui, Mien Dobbelsteen ?

— On la voit à la télé, chez moi. C'est la secrétaire du docteur qui fourre toujours son nez partout. » Puis, élevant la voix, elle se tourna vers la porte. « Mais elle fait mieux le ménage ! »

Je jouai à nouveau ce morceau après le départ d'Esther, conscient pour la première fois du poids et de la densité des notes sous mes doigts et de la manière dont je pouvais les faire sonner différemment en appuyant fort, ou pas. *Forte. Pianissimo.*

À l'époque, pour nous, le sexe n'existait pas. Ni les ordinateurs. On avait beau être à la fin des années 1980, en matière de morale et de façon de vivre, on était plus proches de l'après-guerre que du nouveau millénaire. La sexualité ne revêtait même pas à nos yeux l'attrait de l'interdit. C'était ce que les animaux faisaient dans les champs : se grimper les uns sur les autres. Aussi dénué d'intérêt que la visite du type qui s'occupait des inséminations artificielles, débarquant d'une ferme voisine.

Adolescent, je n'avais accès à la pornographie que grâce à Stephen Flanagan : il grimpait sur les épaules d'un camarade dans le grenier, au-dessus de l'estrade de la grande salle, et tirait de leur cachette deux magazines datant des années 1970. On y voyait beaucoup de poils et de corps enchevêtrés sans grande recherche. Difficile d'y trouver quelque chose d'excitant. Néanmoins, ces images demeuraient brûlantes dans mon esprit et me revenaient régulièrement la nuit, pelotonné sous mes couvertures.

Lorsque mes cours de piano débutèrent, ces images disparurent et mon corps découvrit une forme d'expression qui, le jour, me rendait perplexe. Mon plaisir venait d'ailleurs ; plus besoin des images. Ainsi, la honte foudroyante que j'éprouvais jusque-là reflua. Mon corps faisait ce qu'il avait à faire. L'acte en soi m'apparaissait plein de lumière, me donnait l'impression de me purifier, et je ne comprenais pas quel rapport il pouvait y avoir avec le type des inséminations artificielles ou les bestiaux qui se grimpaient dessus. Je ne cessais d'y penser et d'essayer de faire le lien. J'avais l'impression d'assembler un puzzle qui n'avait pas de bord, sans photo sur la boîte. Formes et couleurs étaient tout ce qui pouvait m'aider.

Esther venait deux fois par semaine. J'étais allé à la boutique de musique en ville et j'avais acheté les deux seuls manuels pour débutants. *The Beatles Songbook* et *Apprendre le piano*. Après ce premier soir, elle n'avait pas beaucoup parlé. J'étais tellement tendu à son arrivée, tellement paralysé par sa présence que j'étais incapable d'évaluer son humeur pendant la leçon. Quand elle se penchait vers moi pour me corriger, elle exhalait une odeur de terre – elle en avait sous les ongles, et son haleine sentait la cigarette. Parfois, elle plaçait mes doigts dans la bonne position lors d'un passage difficile, ou tenait mon poignet en me disant de me détendre afin qu'elle puisse me montrer comment faire une note piquée. Ce que je ressentais pour elle, lorsqu'elle me touchait, n'avait pas l'évidence du désir – c'était plutôt une piqûre de vitalité. Une présence féminine était à nouveau entrée dans notre maison – Mrs O'Gorman ne comptait pas –, qui repoussait les ténèbres. Tant qu'elle était sous notre toit, elle m'apportait sa lucidité. Ce qui m'incitait à me demander comment était ma mère à l'âge d'Esther. Je me remémorais toutes les histoires qu'elle m'avait racontées. Elle avait dû passer des soirées ici auprès du feu avec un garçon, à lire un livre sur le canapé, les pieds enjambant le dossier, et faire du cheval le week-end.

Deux mois s'écoulèrent. Les grandes vacances approchaient, mais je devais d'abord passer mes examens. Je m'asseyais à mon bureau pour travailler sur les équations du second degré en pensant à Esther. « Qu'est-ce que tu fais ici ? trouvai-je enfin le courage de lui demander un soir. Comment tu connais les Irvine ?

— Ce sont des amis de mes parents.

— Et où ils sont, tes parents ?

— En Hollande.

— Donc ils sont encore vivants ? »

Elle se mit à rire. « *Natuurlijk*. Oui, ils sont encore vivants.

— C'est pas si *natuurlijk* que ça.

— Pardon. OK. Oui, Simon, ils sont vivants tous les deux.

— Pourquoi ils ne viennent pas te voir ?

— Ils ne peuvent pas, mais ils m'écrivent. »

Je n'avais plus envie de jouer du piano et me détournai du clavier.

« Pourquoi est-ce que ta famille ne peut pas te rendre visite ? Ce n'est pas très loin. Je pourrais demander à mon père d'aller les chercher à l'aéroport.

— C'est une longue histoire, tu ne peux pas comprendre.

— Peut-être que si. »

Quelque chose la submergea. Elle appuya les coudes sur ses cuisses, prit sa tête entre les mains, faisant glisser ses doigts du front jusqu'au menton. Puis elle se pencha et la mit au creux de mon bras. Mon autre main se posa sur elle.

Elle se redressa, me jaugeant. Frappa ses cuisses d'un air décidé. « Où est-ce que tu ranges ta musique ? »

J'étais perplexe. Mes deux manuels étaient déjà posés sur le lutrin du piano.

« Non, pour ça. »

Elle désigna un électrophone dans un coin. Ce n'était pas un gramophone, mais c'était tout de même une antiquité. Il s'agissait d'une boîte en bois dont le dessus basculait quand on le soulevait. Comment savait-elle qu'il était là ?

« Tu crois que je ne peux pas écouter et faire autre chose en même temps ? »

Elle leva les yeux au ciel en constatant ma déception.

« *Helaas*, ne fais pas l'enfant. Tu ne m'ennuies pas. Mais même si je n'entends plus jamais une chanson des Beatles de ma vie, ça ne me manquera pas. »

On rangeait les disques dans la commode. Il n'y avait que du classique, environ une vingtaine d'albums. Beaucoup étaient des enregistrements du même morceau par différents orchestres. Mon père aimait quelques standards, mais il les écoutait si rarement qu'il achetait un disque à chaque nouvel enregistrement, oubliant qu'il en possédait déjà un. Enfin, je voyais ça ainsi – peut-être que je le dévalorise, peut-être son oreille était-elle plus fine que je le croyais et qu'il entendait les différences subtiles entre les diverses interprétations et aimait les comparer, savourer les contrastes, les variations, au cours de ces soirées où je n'étais pas là.

Esther passa les disques en revue et en choisit un : *Les Classiques du piano*. Elle me le tendit et je le mis sur l'électrophone, déposant l'aiguille doucement.

« OK. Peut-être Mien Dobbelsteen va penser que je joue comme une concertiste.

— Ou que je me suis amélioré. »

Esther pouffa. « Si tu t'étais amélioré à ce point, si rapidement, l'Irlande aurait trouvé le nouveau Mozart. »

Elle s'assit sur le canapé et alluma une cigarette.

« Et si elle entre ?

— Eh bien je perdrai mon boulot. C'est dommage car j'avais presque de quoi m'acheter une Ferrari. »

J'étais toujours planté là.

« Tu es très sarcastique, Esther.

— Sarcastique ?

— Tu plaisantes sur tout. »

Elle jeta l'allumette éteinte dans la cheminée, souffla la fumée et acquiesça.

« Tu as raison. Je suis désolée. C'est parce que je n'ai personne avec qui parler.

— Tu peux me parler, à moi.

— Tu es gentil. Mais j'ai besoin de conseils.

— Je peux te donner des conseils.

— De la part d'adultes.

— Ben je peux t'écouter.

— C'est sérieux, Simon. Tu ne peux pas comprendre. Et je ne veux pas en parler.

— Mais tu viens de dire que tu voulais.

— D'accord. Je *veux* en parler, et je ne *veux pas* en parler. On peut ressentir deux choses en même temps, non ?

— Oui.

— OK. » Elle souffla de la fumée pour enfoncer le clou. « Tu veux une cigarette ?

— Non.

— Tu as déjà essayé ?

— Non.

— Tu n'es pas curieux ?

— Non.

— Pourquoi ? »

Mes yeux se posèrent sur la cheminée.

« Ta mère. Bien sûr. Elle a eu un cancer. Ça m'était sorti de l'esprit. »

Elle jeta sa cigarette dans l'âtre : des volutes de fumée montèrent, happées par la cheminée. « Excuse-moi », dit-elle.

J'acquiesçai.

Elle tapota le canapé. « Viens t'asseoir ici. À côté de moi. »

Je m'installai près d'elle.

« Pose ta tête là, dit-elle en désignant ses genoux.

— Et Mien Dobbelsteen ?

— Simon, bientôt, il va falloir que tu apprennes à dire aux gens d'aller se faire foutre. » Elle désigna de nouveau ses genoux. Je m'allongeai en y appuyant ma tête.

On écouta le morceau tandis qu'elle passait les doigts dans mes cheveux. Je ne la regardais pas, j'étais tourné vers le fauteuil où ma mère s'asseyait naguère. La musique était douce et légère. Elle oscillait par moments, comme si elle cherchait son équilibre.

Esther se mit à parler. Elle s'exprimait en néerlandais, si bien que je ne comprenais pas vraiment, mais il me sembla qu'elle me racontait pourquoi elle était venue à Fermanagh, pourquoi ses parents ne voulaient plus d'elle, et pourquoi elle n'était pas inscrite à l'école ou à l'université. Elle n'était pas triste. C'était ainsi. Elle me caressait toujours les cheveux et, tout en l'écoutant, je pensais inévitablement aux canaux, aux bicyclettes, aux champs plats dépourvus de haies. Le néerlandais sonnait doucement à mes oreilles, indistinct, sans consonnes fortes, telle une ligne qui se déroule et fait un petit bruit en atteignant l'eau, tel un jeu de dominos, un sémaphore.

C'est alors que je sentis quelque chose, un mouvement à l'intérieur d'elle. Ce fut pareil à une décharge électrique, à croire que je léchais une pile. Je me redressai.

« Tu es enceinte, dis-je.

— Oui. » Elle n'ajouta rien. J'imagine qu'elle m'avait déjà tout raconté et n'éprouvait pas le besoin de le répéter en anglais.

Je ne savais plus quoi ajouter. Trop de questions fusaient dans ma tête. Qui était le père ? Pourquoi ne l'avait-il pas accompagnée ? Pourquoi avait-elle choisi de venir à Fermanagh plutôt qu'ailleurs ? Finalement, je demandai : « Tu sais comment tu vas l'appeler ? Tu as choisi un nom de fille et un nom de garçon ? »

Elle me sourit, avec tendresse plutôt que joie, et elle secoua la tête. « Ce n'est pas moi qui lui donnerai son nom.

— Oh. » J'encaissai le coup. « Et tu sais où il ira ?

— Non. J'ai décidé de ne pas demander.

— Pourquoi ?

— Simon, ça suffit les questions, d'accord ? » murmura-t-elle. J'acquiesçai et je me rallongeai, la tête sur ses genoux, regardant la cheminée vide en me demandant où était ma mère en cet instant, si elle pouvait me voir de là-haut, ainsi que tout ce qui m'arrivait.

8

J'AI DORMI UN PEU, à mon réveil c'était la fin de l'après-midi. Dehors, le ciel s'était assombri. Sur l'ordinateur de l'hôtel, dans le hall, j'ai consulté mes e-mails. Une série de vingt-deux messages de Camille s'alignaient les uns à la suite des autres. Certains s'adressaient également à nos amis de France. Elle avait pris l'avion pour Paris. Elle demeurerait auprès de ses parents jusqu'à ce que je revienne à la raison.

J'ai appelé mon bureau et parlé à Perry, le directeur. Il fallait que je lui explique la raison des dépenses réalisées sur le compte du cabinet. J'ai tenté d'être le plus concis possible.

J'ai jeté un coup d'œil au site de la galerie de Chinatown. Une nouvelle exposition des œuvres d'Esther allait débuter et le vernissage était ouvert au public. Les événements s'enchaînaient de manière inexorable. J'ai envoyé un e-mail à la propriétaire de la galerie en me présentant et en demandant qu'on informe Esther que je viendrais.

Le vendredi, j'ai pris le train M jusqu'à Delancey. La galerie était située sur Forsyth Street, à côté d'un parc, à quelques rues de Houston Street. Je portais mon sweat à capuche violet, une doudoune sans manches, un jean et des rangers. J'ai pensé faire les magasins pour me trouver une tenue plus respectable, mais je n'ai pu m'y résoudre. Je devais avoir l'air de sortir d'une longue séance de peinture dans mon atelier glacial – en tout cas, c'est ce que je me suis dit.

J'étais en avance, aussi ai-je attendu dehors en regardant des jeunes jouer au street hockey. Je voulais entrer dans une salle pleine de monde. Si trop peu de gens étaient présents, il me faudrait parler à Esther à un moment où elle serait nerveuse et distraite – mieux valait le faire après l'interview. Je ne voulais pas être le fantôme du passé qui vient plomber son succès.

Les joueurs de hockey y allaient à fond, sans s'épargner : ils se poussaient du coude, s'empoignaient, échangeaient des coups. Les regarder me divertissait. Pas de quartier, ils donnaient tout. J'aimais New York pour ça, pour la manière dont les gens assumaient totalement leurs désirs.

J'ai résisté à l'envie de fumer – j'aurais pué la cigarette. Avec un peu de chance, on se tomberait dans les bras, et je ne voulais pas que son premier sentiment soit empreint de dégoût. Avais-je envie qu'il se passe autre chose ? Je n'en avais aucune idée. J'étais là, ouvert, prêt à faire la paix avec le passé.

J'ai regardé derrière moi. La galerie s'était remplie et aux fenêtres apparaissaient des gens qui discutaient. J'ai ouvert ma doudoune et je suis entré. Aux murs étaient accrochées de grandes toiles que des gens raffinés regardaient en bavardant et en buvant du vin dans des gobelets en plastique. Au fond de la salle, une petite estrade avec deux tabourets, une table et de l'eau.

Planté là, mal à l'aise, j'ai examiné les tableaux, chacun mesurant trois mètres cinquante sur deux. C'étaient d'énormes portraits très détaillés, mais qui menaçaient sans cesse de verser dans l'incohérence. Je faisais très attention à ma manière de me comporter, songeant qu'on m'observait peut-être – Esther était là.

Les visages peints avaient l'air sud-américains à mes yeux, des gens des Andes et de la forêt tropicale. Elle avait composé chacun de manière à gommer tout élément contextuel. Il n'y avait ni vêtement ni fond. Rien qu'un visage qui me fixait d'un regard intense.

Et puis, après avoir passé un moment à les contempler, ce n'étaient plus seulement des visages. La texture de la peau, les rides, les grains de beauté et les taches dues au soleil ont pris une autre dimension. J'ai découvert que chaque portrait était aussi une carte topographique, une photo aérienne représentant un paysage. Un delta s'étendait au coin d'un œil. Une narine devenait un estuaire. Les visages se dissolvaient dans des paysages plus vastes, si intenses que j'avais du mal à revenir à l'image initiale. Les couleurs luttaient les unes contre les autres, les pigments de la peau émergeaient dans le rouge du sol lustré, le gris pâle des méandres d'une rivière suivait le contour d'une lèvre, paysage et visage entraient en conflit pour trouver enfin une paisible harmonie et s'épanouir l'un l'autre.

J'ai regardé autour de moi et j'ai vu une petite Asiatique qui semblait beaucoup attirer l'attention. Sans doute s'agissait-il de Hing Lin, la propriétaire de la galerie. Elle avait des cheveux noirs, brillants, du même ton que ses vêtements - un pull et une jupe longue en laine, qui avaient l'air très doux. Nos regards se sont croisés, elle m'a adressé un grand signe et je me suis aussitôt senti le bienvenu. Elle s'est approchée en bousculant les gens sans s'en préoccuper, la main tendue. Sa poignée de main avait la fermeté de celles qui sont habituées à traiter des affaires.

« Donc, c'est vous l'Irlandais mal dégrossi.

— Je suis certain que ce n'est pas ainsi qu'elle m'a décrit.

— Elle a dit que vous étiez irlandais. Après, j'ai peut-être extrapolé. »

Elle tenait toujours ma main dans la sienne, et sa poigne se détendait peu à peu. « Esther a très hâte de vous voir.

— Moi aussi. Je dois avouer que je suis assez nerveux. »

Ses yeux se sont plantés dans les miens. Un regard inquisiteur, curieux. « Vous êtes plus vieux que je ne l'imaginais. J'ai trouvé des photos en ligne. Mais vous êtes différent. »

Je n'ai pas su quoi répondre. Finalement, j'ai dit : « Et plus sage également, j'espère. »

Sourire oblique : « Ça, on le saura bientôt. »

Esther est sortie de la pièce du fond et s'est appuyée à la porte, une tasse de café à la main. Les gens se sont approchés d'elle, et elle m'a adressé un signe timide avant de saluer les autres, l'air un peu mal à l'aise, mais peut-être était-ce mon imagination.

Elle était plus mince et détendue, moins robuste. Telle une liane bronzée. Sa peau avait absorbé le soleil. Ses cheveux moins épais, d'un blond plus terne, veiné de gris, lui tombaient en longues mèches jusqu'à la taille. Elle portait des boucles d'oreilles en plumes et une collection de colliers, de simples fils se terminant par des pendentifs en céramique sur sa poitrine. Elle était chaussée de lourdes bottes en cuir. Elle avait changé, mais pas complètement. Nerveux, j'ai baissé les yeux. Je ne savais jamais comment me comporter face à des artistes. D'un signe de la tête, elle m'a indiqué la pièce du fond. Hing m'y a amené, il y avait là un bureau avec une petite cuisine.

Quand Esther est entrée, je l'ai vue se débarrasser de son image publique ; en se détendant ainsi physiquement, elle a créé autour d'elle une sphère privée, don que j'ai reconnu chez elle.

« C'est bien toi, a-t-elle dit.

— C'est bien moi.

— Tu as l'air...

— Vieux, d'après Hing.

— Oh, tu trouves ça trop direct ? Elle n'arrête pas de me dire que je grossis. Un jour, on se parlait au téléphone, et elle m'a dit qu'elle *entendait* que j'avais grossi. »

Hing a eu une grimace d'orgueil.

« Elle a raison, moi aussi j'entends que tu as grossi. »

Ça l'a fait rire, de ce rire sonore d'autrefois. « Va te faire foutre, Hanlon. » Et les années se sont aussitôt dissipées. On s'est pris dans les bras, puis elle a reculé pour mieux me regarder.

« Je vois que Simon est devenu un citoyen à part entière. Il vote, il fait peut-être même du bénévolat, il a un comptable et une avocate. Peut-être qu'il est lui-même comptable ou avocat.

— Architecte.

— Ça ne m'étonne pas. Des gens sérieux qui te suivent partout avec leurs bloc-notes. Pas comme moi. » Ce commentaire s'est accompagné d'un geste circulaire, à croire que ses toiles n'étaient qu'une arrière-pensée due au hasard.

À présent, elle me jaugeait sérieusement, je me sentais exposé, nu malgré les années, et je me suis demandé si elle parvenait à voir une vérité qui m'était restée cachée, une qualité essentielle ou un défaut.

Dans la galerie, j'ai entendu quelqu'un se lancer dans une présentation. Les gens ont commencé à s'installer.

« Voilà donc où sont passées toutes ces années, ai-je dit.

— Certaines, oui. »

J'ai marqué une pause. Le passé était si intimidant à présent que je me tenais à sa lisière.

« Es-tu surpris de ce que je suis devenue ? »

J'ai secoué la tête. « Non. Ça ne m'étonne pas. Ne me demande pas pourquoi. »

Elle m'a serré le bras, et quelque chose entre nous s'est délié – j'ai senti en moi un élan, sa poigne n'avait pas perdu de sa vitalité. Elle est retournée dans la galerie sous des applaudissements chaleureux. Quand le tumulte s'est calmé, je l'ai suivie, je me suis dirigé vers le fond et je me suis appuyé contre la fenêtre.

La modératrice qui l'interrogeait était une critique d'art brésilienne. Ces toiles avaient été inspirées à Esther par sa vie en Équateur, après son divorce, à une époque où elle avait commencé à passer du temps avec les indigènes d'Amazonie. Elle parlait de lieu et d'identité, expliquait que les tribus qu'elle avait rencontrées étaient nomades. Elle a évoqué les voyages, l'exil, les migrations, disant que ce que nous considérons comme « chez nous » n'a pas besoin d'être un lieu fixe mais peut se déplacer dans de nombreuses directions.

La modératrice a demandé s'il y avait des questions dans l'auditoire, et Esther a répondu avec soin, ses paroles étaient calmes et fluides, des décennies de réflexion affleurant sous la surface.

Ensuite, elle est allée à la rencontre du public à travers la salle. Je voyais qu'elle y était habituée. Elle était vive, pleine d'esprit, à son contact les gens s'animaient. J'attendais près de la fenêtre. J'ai parlé à quelques personnes, mais je prenais plaisir à observer Esther à nouveau : j'étais toujours ce gosse perché dans son châtaignier.

Ensuite, on est allés dîner, juste elle et moi. Je lui ai dit que je n'avais pas l'intention de monopoliser sa soirée, mais elle a fait un geste montrant que ce n'était pas un problème.

On s'est retrouvés dans une salle sans fenêtre, à l'atmosphère chaude, remplie du bruit des couverts, des éclats de rire, avec en fond sonore un jazz prétentieux. En m'asseyant, je me suis aperçu que j'étais en sueur. Les couleurs, les textures, les bruits, tout me paraissait plus intense. J'entendais des bribes de conversation, l'agressivité et l'anxiété dans la voix de ceux qui s'apitoyaient sur leur sort.

Je savais à quel point j'étais mal habillé. Même si la tenue d'Esther ne correspondait pas non plus à l'élégance sobre de ceux qui nous entouraient, son assurance compensait aisément. Elle s'est adressée aux serveurs avec naturel, a choisi le vin avec une parfaite maîtrise, a contrebalancé ma gêne en répondant longuement à mes questions, reprenant là où nous en étions restés à la galerie. Je l'écoutais mais je ne pouvais lui parler ; nous sentions tous les deux que ses paroles se noyaient dans l'éther. Elle s'est arrêtée, m'a pris la main et m'a dit : « Qu'est-ce qui ne va pas ? », d'une manière si gentille et si douce que je lui ai tout déballé. Je lui ai raconté mon mariage avec Camille, les tensions constantes, le flot de grondements perpétuels de notre relation, la tension qui avait grimpé, dans le fond comme dans la forme, jusqu'à l'incident de l'autoroute.

Elle m'a écouté avec attention, retenant ses paroles pour ne pas interrompre mon propos. À la fin, j'étais essoufflé, les mots cascadaient. Quand j'ai eu fini, on s'est tous les deux renfoncés sur nos chaises, on a jeté un œil à nos assiettes complètement froides, et on s'est regardés. Elle a fait signe au serveur pour commander une seconde bouteille : « Je pense qu'on va en avoir besoin », a-t-elle dit. On s'est mis à rire tous les deux sans pouvoir nous arrêter face à l'ampleur du drame, et au ridicule d'avoir ainsi tout déballé à une personne que je n'avais pas vue depuis trente ans.

Tout à coup, j'ai eu faim. Je me suis mis à manger à toute vitesse, elle a rempli nos verres, levé le sien, et j'ai posé ma fourchette pour l'accompagner. On a trinqué en riant de plus belle. « À la survie », a-t-elle dit. Je l'ai remerciée, et lui ai fait des excuses qu'elle a balayées d'un revers de main.

Elle m'a parlé ensuite de son mariage raté avec un homme d'affaires équatorien charmant qui lui avait fait miroiter une union qui associerait la sécurité financière et une vie exaltante sur un autre continent, un lieu où l'existence prenait ses aises à travers les immenses failles de la bureaucratie. En l'écoutant parler ainsi, j'ai pris conscience de cette intimité naturelle de la jeunesse, de cette fusion facile qui s'opère entre ceux qui ne se sont pas encore fossilisés dans les rôles imposés par la société, et que l'ouverture d'esprit des amitiés adolescentes ne peut plus être reproduite à l'âge adulte.

« Ce n'est pas que je t'ai oubliée, ai-je dit. Quand tu es partie accoucher. Je suis désolé de ne t'avoir jamais contactée.

— C'est moi qui devrais te présenter des excuses. Je voulais t'écrire après l'attentat. J'ai appris ce qui s'était passé, bien sûr, c'était tellement horrible. Oui, j'aurais voulu, mais je crois que je voulais laisser tout ça derrière moi. C'était trop douloureux, trop à vif pour que je veuille y repenser. J'avais besoin de passer à autre chose, de reprendre ma vie normale. Et puis tu étais peut-être surveillé. Je me demandais si une lettre de moi risquait de te mettre en danger. J'ai cru qu'il valait mieux te laisser tranquille. »

Ses paroles m'ont plongé dans la confusion. « Mais qui m'aurait surveillé ?

— L'homme de l'île. J'imaginais qu'il suivait peut-être tes faits et gestes.

— Mais de quoi tu parles ?

— De cette nuit-là, sur l'île. » Elle attendait une réponse, et comprenant que je ne dirais rien, elle m'a scruté, curieuse, observant mon expression. « Tu ne te souviens pas ?

— De quoi ? » Son regard inquisiteur me mettait mal à l'aise. « Comment as-tu pu oublier ? »

Et soudain c'est revenu. Le souvenir m'est apparu, tout entier, je l'ai vu avec une telle netteté que j'ai senti ma poitrine se crisper et j'ai eu du mal à respirer.

L'été qui précéda l'attentat, pendant le week-end, je profitais de la liberté que ma situation m'octroyait – ce fut la seule fois.

J'allais toujours pêcher avec Brian deux fois par semaine. C'était plus dur d'appâter une anguille quand il faisait chaud : elles demeuraient au fond, dans la fraîcheur de la boue. Esther venait avec nous de temps à autre, et chaque fois elle apportait des sandwichs, du thé et une tablette de chocolat. Je laissais les carrés fondre sur ma langue pour mieux les savourer. Ici, c'était un vrai luxe. Elle parvenait à obtenir de Brian des choses que je n'aurais jamais demandées. Lui nous racontait sa vie au petit séminaire. Les matinées qui débutaient très tôt, la gravité de l'atmosphère, leurs lits qu'ils devaient faire comme des militaires, les draps bien tendus et repliés. Les cours sur la Bible qui ne laissaient aucune possibilité de discussion. Il nous avoua qu'il avait abandonné parce qu'il n'était pas capable de prendre la parole devant une congrégation. Chaque fois qu'il essayait, il perdait ses moyens et parvenait seulement à prononcer quelques mots. Il haussa les épaules. « Ce n'était pas mon destin, voilà tout. Je ne pouvais pas parler parce qu'en fait, je ne croyais pas vraiment à ce que je disais. » On ne voulait pas rompre le charme de la paix qui s'étendait autour de nous.

Après avoir terminé ma journée de travail auprès de Liam Hayes, le type qui mettait le foin en bottes, je passais voir Esther au potager. J'étais volontaire pour toutes les corvées. Je désherbais, mélangeais la bouse au foin et l'étalais sur le sol. Les laitues poussaient vite. Et puis il y avait de petits radis que je pouvais déterrer, nettoyer et manger directement ; ils étaient si juteux et acides que j'en avais les larmes aux yeux. Quelques poules arrivèrent à la fin juillet et prirent leurs quartiers dans le poulailler désormais réparé. J'aimais les regarder traîner de leur pas saccadé. Esther les nomma d'après les Sept Nains, chacune présentant la caractéristique correspondante. J'allais les voir le matin, avant le petit déjeuner, et quand Esther n'était pas déjà passée, je mettais quelques œufs de côté pour nous et laissais les autres dans un panier près de la porte de derrière – je ne voulais pas frapper car je savais que Brian dormait après son service. L'une des poules pondait des œufs verts, c'étaient les plus jolis, et ils étaient d'une consistance plus épaisse et riche que les autres.

Tous les samedis après-midi, je prenais ma tente et un duvet, ma canne à pêche, à manger et à boire, du petit bois et un livre, et je partais seul en barque. La plupart des îlots étaient minuscules et trop inhospitaliers pour être habités, aussi, pendant un jour et une nuit, je me retrouvais dans un monde alternatif où les seules traces de présence humaine étaient les marques peintes sur la toison des moutons qui prenaient soin de m'ignorer. Les livres m'offraient leur compagnie. Pendant ces mois d'été, je me perdais dans la fumée de mots imaginaires ; je laissais mon imagination se déployer sous le réconfort de la lune, habitant des territoires aux coutumes non pas héritées mais créées. Parfois même, je lisais à voix haute, et les phrases coulaient et se déroulaient en harmonie avec l'eau qui ondoyait dans les criques.

La nuit sur l'île eut lieu un samedi, début août. Cet après-midi-là, j'avais terminé de travailler avec Liam Hayes vers l'heure du déjeuner. Mon père avait fait venir un chargement de chaux dans la semaine. Le sol dans notre région était très acide, et environ tous les deux ans, mon père y répandait de la chaux pour essayer d'équilibrer le pH. Il en avait proposé à Esther, pour le potager. En rentrant à la maison, je la trouvai dans la cour. Elle avait enlevé la bâche et pelletait de la chaux dans un sac-poubelle. Une brise légère soufflait ce jour-là, soulevant des voiles poudreux qui formaient des nuées autour d'elle. La cour était recouverte d'une couche grise et la tenue d'apicultrice d'Esther avait perdu ses couleurs sous la poussière. Les yeux rouges, elle avait l'air d'un fantôme.

« Mais il n'y a personne pour t'aider ? Où sont-ils tous passés ? demandai-je.

— Trudy est en visite chez sa sœur. Brian est de service. Et je ne sais pas très bien où est ton père.

— Tu ne devrais pas faire des trucs aussi durs. Je vais chercher le tracteur. Y en a pour deux minutes. »

Elle hocha la tête, heureuse de ma proposition. Je lui dis d'aller se débarbouiller pendant que je démarrais le Massey et que j'accrochais la remorque. Je fis marche arrière, chargeai la chaux et traversai notre jardin, avant de remonter l'allée des Irvine. J'arrivai devant le potager où Ester m'attendait avec sa bêche.

J'échangeai ma place avec elle et je lui montrai comment passer la première, où était l'embrayage, l'accélérateur, et elle se mit à avancer par à-coups le long des plates-bandes, s'arrêtant tous les deux ou trois mètres pour que je pellette un peu de chaux et l'étende sur le sol. Après avoir fini, j'insistai pour qu'elle ramène le tracteur et le gare dans la grange. Ce qu'elle fit, avec moi à bord de la remorque vide.

Elle proposa de me préparer à manger pour me remercier et j'acceptai. Elle laissa sa tenue de travail dans l'arrière-cuisine et prit une douche. Quand j'eus moi-même fini de me laver, il y avait sur la table une soupe et de la salade.

« Tu vas partir en bateau après ? demanda-t-elle.

— Oui.

— Je peux venir avec toi ? »

Elle lut sans doute mon hésitation.

« S'il te plaît, Simon. J'ai l'impression d'être une de ces poules. J'ai besoin de m'échapper, juste pour une nuit. C'est pas comme si je pouvais aller au pub.

— Et s'il arrive quelque chose ?

— Quoi, tu veux dire si l'accouchement commence ?

— Exactement.

— Ne t'inquiète pas. Ça n'arrivera pas. Le terme est dans six semaines. Le docteur a dit que tout irait bien.

— Je ne sais pas.

— Allez, s'il te plaît. Je deviens folle, ici. Et c'est tellement calme là-bas. Ça m'aidera. À moins que tu ne veuilles pas qu'une fille voie ta cachette secrète.

— Ce n'est pas une bonne idée.

— C'est une bonne idée. Je t'en prie. Juste une nuit, tu peux m'emmener ? On sera rentrés au matin. »

Je capitulai. Elle retourna chez les Irvine chercher des vêtements chauds tandis que je dénichais un autre duvet. On alla jusqu'à la jetée d'Aughinver. C'était un après-midi beau et chaud. Esther était de si bonne humeur que je me détendis. Je l'interrogeai sur la manière dont elle avait appris le piano, et elle me parla de la maison de sa grand-mère à Utrecht. Celle-ci était professeure, et Esther passait la plupart des après-midi chez elle après l'école, avant que ses parents rentrent du travail. Sa grand-mère lui avait donné des leçons, mais elle avait surtout appris par elle-même. Ses parents se disputaient beaucoup.

L'atmosphère à la maison était tendue, aussi aimait-elle ces quelques heures paisibles. Le piano lui permettait de ne penser à rien d'autre. Les notes tenaient leur propre discours.

Dans la barque, pendant presque tout le trajet, elle garda les yeux fermés, goûtant à la tiédeur de l'air.

En arrivant là-bas, j'installai ma petite tente et allai chercher une grosse branche sur laquelle on puisse s'asseoir et lire en paix.

Quand le ciel s'assombrit, on fit rôtir des saucisses plantées sur des piques au-dessus du feu que j'avais allumé. Je mangeai les miennes sans les retirer de la pique. Esther préféra enlever les siennes, souffla dessus pour les refroidir, jurant et riant avant de pouvoir les avaler. Après, un air de satisfaction rusé se peignit sur son visage. Je me souviens de l'avoir vue alors comme une ado, tout en espièglerie, si vivante au cœur de ce monde.

Le feu mourut, la lune apparut. On partageait ma petite tente, face à face dans nos duvets. Assez proches pour que je sente son souffle sur mon visage. Je m'endormis satisfait, rassuré par cette proximité, sa présence auprès de moi confirmant que je n'étais pas un figurant sans importance dans sa vie.

Je me réveillai au beau milieu de la nuit : j'entendis un vrombissement. D'abord, je crus que c'était une bestiole, un papillon, un oiseau peut-être, coincé dans les plis de la tente. Allongé, l'oreille tendue, je distinguai le son plus nettement. C'était un bruit de moteur. Je regardai ma montre : 2 heures passées.

Les sons sont amplifiés, la nuit, dans une tente. Je me dis que j'imaginais des choses, mais non, cela se rapprochait, il n'y avait aucun doute. D'après la vitesse et la direction, je supposai que le bateau s'était arrêté dans une crique du côté ouest de l'îlot. Je passai en revue les possibilités dans ma tête. Des pêcheurs qui s'étaient égarés. Des chasseurs qui se préparaient avant le petit matin. J'écartai ces deux possibilités. Il n'y avait pas de gibier ici. Les pêcheurs utilisaient rarement un moteur – cela effrayait le poisson, et puis il était fort improbable qu'ils viennent s'amarrer ici, à cette heure de la nuit.

Je passais en revue les autres possibilités car je ne voulais pas admettre la conclusion à laquelle j'avais déjà abouti. On disait que les îlots servaient occasionnellement aux groupes paramilitaires. Mais à force d'aller pêcher avec Brian, je m'étais convaincu que c'était sans fondement. Il ne m'aurait jamais fait courir de danger, et mon père ne m'aurait pas laissé explorer les lieux lors de mes escapades du week-end.

Dans l'air, les voix portaient. L'île ne mesurait pas plus de cinq cents mètres de longueur. Un groupe d'hommes. Je distinguais presque ce qu'ils disaient. On donnait des ordres. Ils déballaient quelque chose. Je perçus des grognements d'effort et des bruits de pas. Le craquement de toutes les brindilles sur lesquelles ils mettaient le pied. Une poule d'eau caqueta, une autre lui répondit.

J'aurais dû rester à ma place, allongé, à attendre que tout ça se termine. Mais non. Peut-être voulais-je protéger Esther, ou était-ce la curiosité naturelle d'un garçon qui s'apprête à devenir un homme. Une tente est un avant-poste solitaire n'offrant guère de protection contre les menaces extérieures. Je devais savoir ce qui se tramait. J'ouvris mon sac de couchage et je me glissai dehors sans bruit, prenant soin de ne pas réveiller Esther. J'enfilai mes baskets et je me dirigeai le plus discrètement possible vers les nouveaux venus.

À travers un bosquet d'arbres, je distinguai les silhouettes de quatre hommes qui s'éloignaient du rivage pour aller vers le centre de l'île, avançant avec peine, chacun portant une boîte visiblement lourde.

J'eus froid dans le dos. Dans les journaux, on évoquait toujours les groupes paramilitaires, mais ça restait quelque chose d'abstrait. Les gens en parlaient aussi, mais je n'avais jamais rencontré personne qui soit directement impliqué, ni de famille victime de violence. Et puis soudain ce fut là, sous mes yeux, bien réel, en mouvement.

Frémissement sur ma gauche. Je me retournai, terrifié : on m'avait vu. Il y avait là une silhouette. J'eus envie de me mettre à courir, mais mes jambes ne répondaient plus. J'ignore si ce fut l'intelligence ou la lâcheté qui me fit demeurer immobile.

La lune éclairait suffisamment pour qu'il distingue les traits de mon visage, mais, de mon côté, je ne voyais qu'une ombre.

Il dit alors : « Comment tu t'appelles, fiston ? », à voix basse, en un souffle. Il faisait en sorte que sa voix ne porte pas, mais ses mots étaient clairs. On aurait dit un sifflement.

« Simon.

— Simon comment ? »

J'hésitai à répondre, mais je n'étais pas en position de lui cacher des choses.

« Hanlon.

— Tu es le jeune fils de Peter ? »

J'hésitai encore : « Ouais, c'est ça.

— Mais qu'est-ce que tu fous ici ?

— Du camping.

— Ben t'as pas choisi le bon endroit. Tu es tout seul ? »

Je tardai encore à répondre. Je ne voulais pas impliquer Esther dans tout ça.

« Dis-moi la vérité. Si je dois aller vérifier moi-même, faudra que j'appelle les autres.

— Il y a une fille avec moi. Elle s'appelle Esther.

— Tu as amené ici la petite Hollandaise.

— Ouais.

— Elle est enceinte, hein ?

— Ouais.

— Ah, putain. Tu as de la chance que ce soit moi qui t'aie trouvé. Retourne dans ta tente. Et pas un bruit. Ne bougez pas avant le matin. Et si jamais tu dis un mot de tout ça, fiston, j'ai pas besoin de t'expliquer.

— Non.

— Bon, tire-toi maintenant. Vite. Et surtout, pas un bruit. »

À mon retour dans la tente, Esther s'était réveillée. Je lui murmurai de rester le plus silencieuse possible, de ne pas bouger un muscle. Je lui expliquerais au matin. Elle ne posa aucune question ; elle sentait sûrement la peur battre en moi. On demeura allongés là une éternité. Même après avoir entendu le moteur redémarrer, on ne parla pas.

Quand le ciel commença de s'éclaircir, je lui racontai ce qui était arrivé. Elle ne posa aucune question, m'écoutant avec attention. On rangea la tente et je nous ramenai à la rame. Même dans la lumière laiteuse, Esther était très pâle, sa peau presque translucide.

En arrivant à la jetée d'Aughinver, on se serra dans les bras l'un de l'autre, en une longue étreinte de soulagement. Je la laissai devant la porte des Irvine. C'était la dernière fois que je la voyais.

Le serveur est arrivé avec l'addition et je suis revenu dans cette salle de restaurant à l'atmosphère étouffante où bourdonnaient les conversations. J'étais sonné. Des images de cette nuit-là m'avaient envahi. J'ai regardé Esther, qui elle aussi avait visiblement été transportée ailleurs – son regard s'était adouci.

« Ça va ? lui ai-je demandé.

— C'est… le fait que tu sois là. Ça ranime tant de choses. » Elle a soupiré. Puis elle m'a raconté.

Voilà comment elle était tombée enceinte. D'un homme marié, plus âgé, un voisin. Ses parents étaient trop religieux pour consentir à un avortement. Leur recteur avait fréquenté le même séminaire que Brian Irvine. Elle avait accepté de partir parce que cela lui donnait plus de temps et d'espace pour réfléchir et décider si elle voulait ou non garder le bébé ; elle ne pouvait rester à Utrecht, pas après tout ce qui était arrivé, et elle n'avait nulle part où aller.

« Tu n'as pas pris contact avec lui ?

— Non. Je suis prête pour le jour où un e-mail arrivera et rouvrira ce chapitre.

— Tu imagines peut-être que je suis un précurseur ?

— Ça m'a effleuré l'esprit. Ces choses-là arrivent par vagues, non ?

— Oui, en effet. »

Pendant un moment, on est restés silencieux, épuisés. On avait tant d'autres choses à se dire, mais pour l'instant, ni l'un ni l'autre n'en étions capable. J'ai payé l'addition. Je lui devais bien ça. Je suis allé aux toilettes, au fond d'une alcôve étroite. Je suais toujours et j'avais les jambes en coton. J'avais envie de me passer de l'eau fraîche sur le visage, de m'éloigner des gens, de prendre une minute pour recouvrer mes esprits.

C'est en passant devant le poste des serveurs que j'ai senti une présence. J'ai entendu une voix derrière moi, une voix familière, une voix d'autrefois, issue de mon lointain passé, et qui me murmurait une question tout bas.

Comment tu t'appelles, fiston ?

Et puis le néant.

Quand j'ai repris conscience, j'étais assis sur le carrelage, adossé à un mur. Une femme me tenait la main. Elle me parlait, très doucement. Son visage était brouillé. Sa peau, tiède. La lumière au-dessus d'elle battait, pulsait. J'avais les épaules en feu. Le cou aussi. Des flots de chaleur s'écoulaient depuis la base de mon crâne jusque dans ma nuque, mes épaules, mon dos. La femme me parlait. Le son de sa voix était très apaisant. Elle répétait un mot. Et puis son visage est devenu plus net. Yeux. Nez. Lèvres. J'essayais de comprendre ce qu'elle disait.

« Simon. » Elle a répété : « Simon. » Simon, c'était mon nom. Comment le connaissait-elle ? Je l'ai regardée. « Simon. Tu sais où tu es ? » Elle était bronzée. Yeux marron, longs cheveux blond-gris, des boucles d'oreilles en plumes. « Simon, c'est Esther. Tu me reconnais ? »

9

JE ME SUIS RÉVEILLÉ le lendemain matin dans un endroit que je ne connaissais pas. Les bruits de la rue me parvenaient à travers la grande fenêtre à guillotine sur ma droite. Puis j'ai compris : j'étais chez les parents de Hing, ils habitaient tout près du restaurant et ils étaient absents pour quelques jours. Je me suis souvenu qu'Esther m'avait aidé à me mettre au lit. Elle m'avait enlevé mes rangers et donné un pyjama appartenant au père de Hing. En coton, à motifs cachemire bleus, confortable.

J'avais mal partout ; je ne parvenais plus à distinguer les différentes parties de mon corps. Quelqu'un jouait de l'erhu, un musicien de rue sans doute. Allongé là, j'ai songé que l'instrument avait exactement le son de ses composantes. Un archet frotté sur deux cordes fines.

J'étais gêné, rongé par la peur. Il y avait si longtemps que je n'avais pas fait une crise d'épilepsie. J'essayais d'attribuer celle-ci à l'épuisement, à mes bouleversements émotionnels, toutes choses très plausibles, mais je ne pouvais me départir du pressentiment que ce ne serait pas une crise isolée, que j'étais entré dans une nouvelle phase de ma vie.

Je suis resté au lit, encore abasourdi d'avoir pu oublier un moment aussi important que cette nuit sur l'îlot. Je contemplais par la fenêtre les zigzags des escaliers de secours des immeubles d'en face ; je regardais les poussières qui passaient devant la vitre, et alors j'ai eu le sentiment que tout était mû par sa propre énergie, que tout bougeait de manière imprévisible mais inexorable.

Je me suis rappelé les semaines qui avaient suivi l'incident. Les années ont reflué, et je me suis retrouvé immergé dans le passé.

Je n'allais plus aider Esther au potager. Je gardais mes distances. Je ne savais pas comment parler de ce qui s'était passé. Je ne voulais pas qu'elle essaie de me convaincre qu'il fallait confier tout ça à Brian Irvine. J'avais sans doute peur que le moindre mot franchissant mes lèvres ait des conséquences. L'homme sur l'île m'avait ordonné de ne rien dire, et pour conserver le peu de contrôle que j'avais encore sur la situation, je devais suivre ses instructions.

Septembre arriva et ce fut la rentrée des classes. Le temps avait changé. Il pleuvait beaucoup. Cette année-là, je passais des examens et, dans chaque cours, le prof nous expliquait le programme. Dans ma chambre, mes livres étaient rangés en piles séparées, posées par terre, et je me préparais à un effort de longue haleine. Avec le recul, je faisais ce que j'ai toujours fait, et que je continue à faire aujourd'hui dès que le monde extérieur devient menaçant : je me retirais dans la solitude et les livres. J'ignorais comment aider Esther. C'était hors de ma portée. La seule manière dont je pouvais la protéger, c'était en restant à l'écart.

Je rentrais à la maison après que le car scolaire m'eut déposé, un soir, quand Brian s'arrêta près de moi en voiture. Il était en uniforme et partait travailler.

« Ça fait un bail qu'on t'a pas vu. Pour la pêche, y a rien à faire. Ça mord pas si t'es pas là.

— Ah ouais, les cours ont recommencé. Je pourrai plus sortir le soir avant un moment.

— C'est bien, mon petit. Tu es plongé dans tes livres. » Je lisais de la déception dans ses yeux, mais cela ne transparaissait pas dans sa voix.

« C'est ça.

— On est futé, chez les Stewart. Non pas que ça manque à ton père non plus.

— Non », répondis-je. Les compliments, ce n'était pas un truc dont on avait l'habitude. Je pensais que Brian allait en profiter pour mettre fin à la conversation et repartir, mais non. Le moteur ronronnait doucement. Il voulait me dire quelque chose. Je sentis mon corps se raidir. Esther lui avait-elle parlé ?

Finalement, il dit : « Esther est partie, mon gars. J'étais pas sûr que tu savais.

— Partie où ?

— À l'hôpital, à Belfast.

— Oh. Il y a un problème ?

— Non, non, tout s'est passé comme sur des roulettes. Un peu tôt, mais sans complication, Dieu merci.

— Elle a déjà eu son bébé ? » J'essayais de réprimer l'urgence dans ma voix, en vain. Brian l'entendit et me fit une réponse doucement rassurante.

« Oui, Simon. Un beau petit gars. Ne t'inquiète pas. Il a une bonne tignasse et des poumons qui fonctionnent au poil. Il est un peu petit parce qu'il est sorti plus tôt que prévu, mais ça va. »

Je ne savais pas comment réagir. Ma poitrine se resserra. Je ne parvenais qu'à respirer superficiellement. Je sentais le froid dans l'air.

« Et Esther ?

— Ils vont bien, mon garçon, tous les deux, ils sont en pleine forme. »

À l'entendre, on aurait pu croire qu'il parlait d'un veau. On ne sentait poindre aucun regret par rapport à ce qui était arrivé, ni inquiétude pour son avenir.

« Elle est toute seule ?

— Non, mon Dieu, non. Trudy est là-bas avec elle. Elle loge chez sa sœur quelque temps, histoire de voir si tout se passe correctement.

— Pourquoi elles sont allées à Belfast ?

— Tu sais que le petit va partir chez quelqu'un d'autre. C'est à Belfast que ça se passe.

— Est-ce que je pourrais aller la voir ? »

Il secoua la tête. Il était rare qu'il me réponde si clairement ; en temps normal, il me laissait chercher moi-même la réponse aux problèmes. Pas cette fois.

« Non, Simon. Elle a vécu des moments difficiles. Il faut la laisser tranquille. »

Je rentrai dans une maison vide. Mrs O'Gorman avait accepté une place ailleurs. Peut-être trouvait-elle ça trop triste chez nous. Et contrairement à moi, elle ne savait pas être une simple présence.

Je me préparai à dîner, côtelettes d'agneau et pommes de terre, et je mangeai seul, sans espoir d'être sauvé. Mon boulot d'été s'était terminé. L'école, me disais-je, était pour moi le seul moyen de partir d'ici. Je m'en servirais pour creuser un canal avec mes livres, afin que le fleuve de la connaissance m'emporte ailleurs, me pousse jusqu'à l'estuaire.

Mon père était rarement là. C'était la saison des moissons. Il fallait se hâter de rentrer les récoltes avant que les intempéries ne les endommagent. Lui-même ne travaillait plus la terre, il passait ses soirées dans les fermes des environs où il donnait un coup de main. Je le voyais en vitesse le matin au petit déjeuner, et c'était tout, j'étais couché lorsqu'il rentrait à la maison.

Je ne pouvais chasser de mon esprit l'image d'Esther dans un lit d'hôpital, son bébé quelques chambres plus loin, qu'elle n'avait pas le droit de voir. Pire : on le lui arrachait avant qu'elle ait compris que c'était la dernière fois qu'elle le voyait. J'imaginais Trudy auprès d'elle, froidement inutile. Lui disant que c'était mieux comme ça. Qu'elle s'en remettrait. Esther, vêtue d'une robe informe. Une odeur de légumes trop cuits flottant dans les couloirs.

Je me suis levé, encore sonné, toujours vêtu du pyjama du père de Hing, j'ai ouvert la porte de la chambre pour me traîner à la cuisine. J'ai eu la surprise d'y découvrir une petite baignoire incrustée dans le mur, au-dessus de laquelle étaient suspendus des vêtements qui séchaient. Assise à table, Hing travaillait sur son ordinateur portable. Elle m'a fait cuire des œufs et a dit qu'Esther serait là dès que possible.

J'ai mangé vite, de bon appétit. Je lui ai demandé si elle avait grandi dans cet appartement et elle a hoché la tête. Elle m'a expliqué qu'Esther et elle vivaient dans le nord de l'État de New York – Esther détestait la ville. Elle-même avait tenté de convaincre ses parents de déménager dans un logement plus grand, mais c'était ici chez eux ; ils y avaient de bons souvenirs et ils se trouvaient juste à côté de la galerie de leur fille, en outre tous leurs amis vivaient dans le quartier. Beaucoup d'anciens avaient suivi leurs enfants en banlieue, en général dans le New Jersey, et quelques années plus tard étaient revenus à Chinatown. Ils ne supportaient pas la monotonie des maisons individuelles, les grandes pelouses et la banalité des centres commerciaux.

Elle a répondu à ses e-mails pendant que je buvais mon café. Je lui ai fait des excuses car je l'empêchais d'aller à son travail, mais d'un geste elle m'a arrêté en me disant qu'elle travaillait beaucoup mieux ici – à la galerie, elle était dérangée toutes les cinq minutes.

Je suis retourné dans la chambre m'habiller. Quand je suis revenu dans la cuisine, Esther s'entretenait avec Hing à voix basse à table. Elles m'ont demandé où je vivais. Je leur ai parlé de notre appartement de Clinton Hill, l'idée d'y retourner m'était insupportable. Elles m'ont ensuite questionné sur la crise d'épilepsie : était-ce déjà arrivé auparavant ? Je leur ai parlé de l'attentat et des crises qui s'étaient déclenchées par la suite. Elles m'ont conseillé de consulter un spécialiste.

« Faut voir comment ça évolue. La semaine a été dure. Ça va peut-être s'arrêter là. »

Esther a levé les yeux au ciel. « Ça fait un quart de siècle que tu n'as pas fait de crise, Simon. Tu ne trouves pas que c'est parlant ? »

Je n'avais pas de réponse. J'ai cédé et acquiescé.

Elle n'en avait pas terminé. « Il va falloir trouver quelqu'un pour veiller sur toi. Il te faut des gens autour de toi. On en a parlé. Il y a une chambre, là-haut. C'est un ancien atelier de dentelle, mais ça ne sert plus depuis longtemps : le père de Hing attend le feu vert de l'administration pour le transformer en appartement. Tu devrais rester là. Au moins, on pourrait avoir un œil sur toi.

— Je ne veux pas vous causer d'ennuis.

— Le vrai martyr irlandais. »

J'ai éclaté de rire. « On ne peut pas s'en empêcher, on a été élevés comme ça.

— Eh bien, mon père serait en tout point d'accord avec vous, a ajouté Hing. Mais ça suffit. Vous restez. »

Esther m'a conduit là-haut. En arrivant au dernier étage, elle m'a donné les clés en décrivant un grand moulinet dramatique, et j'ai ouvert la porte. Il était bientôt midi et le soleil tombait presque directement par la fenêtre au milieu de la coupole. La lumière était tiède – elle remplissait l'espace, lui donnait une nuance chaude, jaune orangé. L'espace était segmenté par trois colonnes métalliques peintes en blanc, disposées dans un ordre qui à mes yeux n'avait pas de sens. Du côté nord, s'ouvrait une petite pièce définie par des encadrements de métal dont on avait visiblement retiré des vitres. J'ai pensé que cela avait dû servir de bureau au directeur. À côté, une porte en acier qui donnait accès à des toilettes et à un lavabo.

Les fenêtres possédaient des cadres à feuillure. Je me suis approché pour en ouvrir une de quelques centimètres. J'ai passé les mains sur le bord, sentant les fins ruisselets d'air qui entraient. Des radiateurs bas étaient installés au-dessus des plinthes. L'endroit était aussi froid qu'une barre métallique.

Par la fenêtre de la coupole, j'ai contemplé la ville. On surplombait directement une petite place dont les lumières s'éteignaient au matin, si bien qu'à présent elle était ficelée sous un entrelacs de câbles électriques noirs, délimitée par des hôtels, des bureaux de change et une boulangerie chinoise où des hommes s'affairaient autour d'une plateforme de livraison, poussant des chariots remplis de plateaux d'acier. Depuis la fenêtre est, j'ai découvert toute une rangée de ballons de foot dans des filets, jusqu'à ce que je m'aperçoive que c'étaient des choux. Juste à côté, une surface plane constituée de petits points bleus : une palette de bouteilles d'eau – je donnais directement au-dessus des bouchons. À cette hauteur, tout se transformait en autre chose, caractéristique à laquelle je me suis habitué depuis six mois que je vis ici.

« C'est parfait, ai-je dit. C'est simple. »

Esther a souri en levant les yeux au ciel.

« Tu parles ! "Simple" n'est pas le mot qui vient en premier à l'esprit.

— La vue est magnifique.

— Tu parles des trains qui défilent juste sous ta fenêtre ?

— Entre autres, oui. »

Elle s'est avancée sous la coupole pour regarder le fleuve et je l'ai suivie.

« Tu as raison. Il a quelque chose, cet endroit. Il faut juste que tu te trouves des meubles et des plantes.

— Et une cuisinière.

— Et un frigo. Et un chauffage. Et un bon matelas. Tant que tu n'as pas un matelas digne de ce nom et des draps, tu restes en bas. Tu ne peux pas refuser. »

Je me suis retourné vers elle.

« Merci. Pour tout ça. »

Elle m'a adressé un sourire plein de chaleur et m'a caressé la joue. « Je t'en prie. Tu as passé de sacrés moments. En te voyant par terre, hier soir, je me suis sentie tellement impuissante, tellement désolée.

— Ça passera.

— J'en suis sûre. Mais en attendant, je suis bien contente de pouvoir t'aider.

— Moi aussi. »

Elle a sorti son portable. « Est-ce qu'il y a quelqu'un que je puisse appeler, j'aurais dû te le demander plus tôt. Tu n'as pas de téléphone, hein ?

— Non. Ni personne à appeler. »

Elle souriait toujours. « Tu t'es vraiment mis dans une position vulnérable en venant ici, pas vrai ? »

J'ai haussé les épaules : « N'est-ce pas pour ça que les gens viennent à New York ?

— Tu as sans doute raison. »

Je lui ai demandé comment elle était arrivée ici, et elle m'a raconté qu'elle avait rencontré Hing à une exposition au Mexique. Celle-ci lui avait proposé de l'exposer, et elle avait saisi sa chance de tout recommencer. J'avais du mal à suivre ce qu'elle me disait – après les événements de la veille, il m'était encore difficile de me concentrer. Je me suis assis par terre. Malgré le froid, je voulais m'habituer à mon nouvel environnement. Mais surtout, j'avais envie de parler.

« Qu'est-ce qu'il y a ? Tu as besoin de quelque chose ? Tu veux de l'eau ? »

J'ai secoué la tête. « Il y a une chose que je ne t'ai pas dite. À propos de mes crises. »

Je lui ai parlé de la voix, de la question. J'avais de plus en plus la certitude que cette voix était celle de l'île.

« Tu l'as déjà entendue ? Quand tu faisais tes crises ?

— Oui. Mais je n'avais pas fait le lien. Enfin, je ne crois pas, je ne m'en souviens plus.

— À ton avis, pourquoi est-ce que tu l'entends ?

— Sans doute qu'à un certain niveau, je fais le lien avec l'attentat.

— Tu crois qu'il était impliqué.

— Je n'en sais rien. Mais oui, je crois.

— Tu en as parlé à quelqu'un ?

— De la voix ? Non. Je ne pensais pas que ça en valait la peine.

— Et de l'île ? Tu as dû envisager de le dire à ton père, non ?

— Je ne voulais pas l'inquiéter. Il aurait dû s'en occuper, ensuite, ce qui nous aurait mis tous les deux en danger. Notre existence était déjà assez précaire comme ça. »

Elle a hoché la tête. On a gardé le silence pendant un moment. Pas un bruit dans la pièce, à part les craquements des radiateurs.

« Où penses-tu qu'il soit ? ai-je fini par demander. Ton fils.

— Je l'appelle Jonas. C'était le prénom de mon grand-père. Ce n'est pas officiel bien sûr, ce nom n'apparaît sur aucun document. C'est juste ma façon à moi d'en parler.

— Quel âge il aurait aujourd'hui ?

— Trente-quatre ans. Il est sans doute en Irlande, mais je ne parviens pas à l'imaginer là-bas – à vrai dire, je ne me souviens pas vraiment des lieux. En fait, je me le représente à Utrecht. Je le vois rentrer chez lui à pied depuis son bureau, il porte un costume, il arrive devant une maison avec de grandes fenêtres. Je sais qu'il est marié et qu'il a des enfants. J'ignore quel est son métier, mais je sais que c'est un bon métier, qu'il est respecté. C'est un bon mari, un bon père.

— Pourquoi tu n'essaies pas de le retrouver ? Pourquoi ne prends-tu pas contact avec une avocate ?

— Je ne veux pas semer le chaos dans sa vie. Ce serait très égoïste de ma part de débarquer soudain de nulle part et de tout foutre en l'air. Il a construit sa propre vie, ce ne serait pas juste d'arriver comme une tornade au beau milieu de tout ça.

— Peut-être est-ce ce qu'il voudrait ?

— Non.

— Qu'en sais-tu ?

— Je le sais, c'est tout. »

Elle a affirmé ça avec une telle fermeté que j'ai préféré en rester là.

10

HING M'A AIDÉ à débarrasser l'appartement de Clinton Hill ; toutes nos possessions communes ont été stockées ailleurs. Je l'ai ensuite sous-loué, ce qui me permet de couvrir mes dépenses. Je me suis mis en congé de mon travail, mais je ne sais pas si j'y retournerai.

Mon opération doit avoir lieu dans un mois. Esther veut m'accompagner. Elle me rend visite un dimanche sur deux. Elle s'excuse de ne pas venir plus souvent, mais j'apprécie qu'elle prenne la peine de venir. Quand Hing reste dormir chez ses parents – en général lorsqu'elle a une exposition à voir –, elle vient passer du temps avec moi. J'aime qu'elle soit là ; nos relations sont bien plus détendues à présent. Elle m'a déjà ramassé par terre et aidé à changer de pantalon. Après ça, il n'y a plus grand-chose qu'on ne puisse se dire. On a l'air d'un vieux couple. Elle est aussi à l'aise ici que chez elle. Elle passe du temps sur son téléphone, envoie ses e-mails et me raconte sa journée.

Ce soir, je lui ai préparé à manger. Je le fais toujours. J'insiste là-dessus. « Tu ne me dois rien, Simon, proteste-t-elle. Tu n'as pas à jouer les hôtes ou je ne sais quoi.

— Je sais », dis-je. Pourtant, en vérité, j'ai une dette envers elle. Même si cuisiner pour elle me donne juste l'impression d'être une personne normale, et puis c'est une chose que ma mère m'a apprise.

Je pense souvent à ma mère. J'aimerais sentir sa main dans mon cou, entendre ses paroles rassurantes. J'aimerais avoir la force qui était la sienne, cette acceptation paisible de son sort qu'elle avait acquise avec la maladie. Je pense beaucoup à ses derniers moments. Je me demande si elle a eu peur à la fin. Elle était croyante, elle avait vraiment la foi, pour elle ce n'était pas une simple obligation. Ça a dû faire une différence. Je regrette de ne lui avoir jamais posé la question directement lors de ces après-midi tranquilles passés ensemble au coin du feu : *En quoi est-ce que tu crois ?* Elle devait pourtant vouloir en parler, mais je ne vois pas mon père trouver le courage nécessaire pour aborder le sujet.

Elle est morte au troisième étage de l'Erne Hospital. L'établissement dans lequel elle avait exercé en tant qu'infirmière pendant quatorze ans et dont, au moment de sa mort, elle était encore membre du personnel. Ses collègues me traitaient comme si j'étais des leurs. Le gardien de l'entrée principale me saluait toujours avec respect en me voyant arriver, vêtu de mon uniforme de lycéen, et me priait de lui transmettre ses amitiés. L'employée de la boutique de l'hôpital refusait mon argent chaque fois que je voulais acheter quelque chose. Ça s'était si souvent produit que je n'essayais même plus de payer, et quand je venais chercher quelque chose, je me servais et repartais en lui adressant juste un petit signe pour la remercier. Certains jours, en entrant dans la chambre de ma mère, je trouvais une infirmière assise à son chevet, lui tenant la main, les yeux brillants.

Lorsque sa dernière heure arriva, je dormais recroquevillé contre le mur, près de la porte. Elle partit tard dans la nuit. Je m'étais écroulé sur une chaise dans le couloir. En m'éveillant, je m'aperçus que j'étais seul et j'ouvris la porte de la chambre. Mon père et le révérend McKay s'étaient rassemblés autour du lit avec ma tante Jackie, des cousins de ma mère et deux anciennes voisines venues de Liverpool. Je ne faisais pas partie de ce cercle, ou plus exactement, ce cercle me maintenait à l'écart. Il était naturel pour eux, enfin je le suppose, de transformer leur chagrin en une sorte de protection pour moi. Sans doute croyaient-ils m'épargner quelque chose que j'étais trop jeune pour vivre. Bien sûr, tout cela n'est que spéculation. Ce dont je suis sûr, c'est qu'aucun d'entre eux n'ouvrit le cercle pour m'y accueillir. Alors je pris position contre le mur et, bercé par la voix de mon père psalmodiant ses prières, je basculai de nouveau dans la somnolence.

Je ne crois pas être resté seul avec le corps un seul instant. Je me rappelle m'être réveillé au moment où tout le monde quittait la chambre pour regagner la salle d'attente. Mon père dit : « Je suis veuf, maintenant », tout le monde acquiesça en silence et une infirmière nous apporta du thé et des biscuits. Elle s'assit près de mon père, lui prit le poignet et nous informa que nous pourrions voir le corps dans quelques minutes : ses collègues avaient besoin d'un moment pour tout préparer. Je me souviens qu'elle employa le mot « corps » et non pas « cadavre », reconnaissant ainsi que la vie, la vie de ma mère, ne l'avait pas complètement quittée, qu'un écho subsistait encore. Elle avait vu ça tant de fois, pourtant elle réussit à nous donner l'impression que nous étions la seule famille à avoir jamais fait l'expérience de la mort. Je me rappelle que cette femme s'appelait Mrs Johnson, qu'avec son mari, Kit, ancien ambulancier en retraite, elle fut tuée lors de l'attentat. Elle était de Kesh, un peu plus loin sur la route, non loin de chez nous. C'était une femme digne, une bonne musicienne. Je la revois si clairement réconforter mon père en lui tenant le poignet, comme si elle lui prenait le pouls.

Pourtant, quand je me suis plongé dans des documents d'époque, je me suis aperçu que c'était impossible. En lisant l'article de l'*Impartial Reporter* sur l'attentat, j'ai découvert que Mrs Johnson avait pris sa retraite en 1986. Elle ne pouvait donc être de service le jour de la mort de ma mère en février 1987.

La découverte de cette information contrastait de manière si violente avec mon souvenir de cette nuit-là que je l'ai prise comme une insulte personnelle. J'ai eu envie d'appeler le rédacteur en chef pour lui dire que son éthique professionnelle, c'était de la merde. Sauf que d'autres sources allaient dans le même sens.

« Confabuler. » J'ai cherché après le test de Wada. « Fabriquer des expériences imaginaires pour compenser une perte de mémoire. »

Cette définition est non seulement stupide mais également à courte vue. L'idée que la mémoire et l'imagination soient deux entités séparées est aussi absurde qu'un journal qui se prétendrait impartial. Nous ne fabriquons pas des expériences imaginaires. Elles se présentent à nous ; il ne s'agit pas d'un processus de fabrication. Et rien ne peut compenser la perte de la mémoire. De même que rien ne peut compenser la perte d'un être aimé.

J'ai peur. Je l'admets sans détour. Ce n'est pas la mort qui m'effraie ; c'est la menace de l'isolement définitif. Le personnel médical a beau tout faire pour me rassurer, jouer la carte du processus bien rodé, de l'expertise du chirurgien, je m'apprête à subir une opération du cerveau. Un geste maladroit, une fraction de centimètre trop loin ici ou là, et je risque de rompre mes amarres, d'être abandonné au-dedans de mon corps. Mon esprit deviendrait alors un lieu sans saisons ni marées, inaccessible aux visiteurs, une prison.

Hippocampe et amande, objets si innocents qu'ils pourraient figurer sur un poster, dans une chambre d'enfant.

Avec cette épée de Damoclès au-dessus de la tête, la notion de véracité, de fait historique me paraît désormais cruciale. D'un autre côté, je commence à comprendre que ça n'existe pas. Nous sommes tous le résultat composite de vérités relatives. Même ce moment où j'écris, où je fais courir mon stylo sur la page de mon carnet, se teinte d'un million de nuances. Le présent dans lequel nous croyons vivre n'est jamais « présent ». La lumière que nous admirons quand nous assistons au coucher du soleil remonte en fait à huit minutes dans le passé. Nous observons la Grande Ourse dans le ciel, mais jamais de tout temps les étoiles de cette constellation n'ont eu le moindre lien les unes avec les autres, contrairement à ce que nous fait croire notre expérience. Leurs rayons nous parviennent d'époques différentes.

Il existe normalement un temps de latence de vingt à trois cents millisecondes entre le fait de voir et l'instant où cette perception devient exploitable par notre cerveau. En général, on l'explique en disant que notre perception consciente est retardée par des causes externes. Mais l'on peut dire aussi que nos expériences se sont déjà produites avant que notre cerveau ne réagisse. Le présent est plus qu'une construction de l'esprit : c'est le monde qui se manifeste à vous, avant même que votre cerveau n'en ait conscience. Le moment que nous appelons « présent » est déjà passé. Le moment que nous désignons comme « à l'époque » n'a jamais réellement existé – il ne s'agit pas d'un seul instant, mais plutôt de la confluence de différents événements.

Dire que nous confabulons relève de cette tentative pour transformer notre expérience en faits faciles à appréhender. La notion même de confabulation confère aux scientifiques un pouvoir important. Cela les autorise à nous expliquer que nos perceptions sont entièrement séparées du monde extérieur, enfermées dans notre boîte crânienne, et que par conséquent nous vivons tous dans l'erreur et avons besoin de l'autorité de la science qui seule peut nous dire ce qu'est vraiment la réalité.

On nous apprend à opposer les mondes physique et imaginaire. L'un est authentique, l'autre un mensonge. Ce qui est un faux débat. Adeline Ravoux l'a dit elle-même : à l'âge de dix ans, elle ne se reconnaissait pas dans son portrait. Il a fallu toute une vie pour qu'elle comprenne la vérité imaginaire qui se cachait sous la surface. Van Gogh ne peignait pas en observant les choses, mais en identifiant, en se concentrant sur l'équilibre entre lui et le sujet pour mettre au jour une compréhension plus profonde.

D'après l'*Impartial Reporter*, Mrs Johnson ne pouvait être présente au moment de la mort de ma mère. Mais cela ne change rien aux souvenirs que j'ai de cette nuit-là. Et la mémoire crée sa propre réalité.

Qui est cette ombre, cet homme qui me hante jour après jour, dont le murmure à mon oreille déclenche mes convulsions ? Je ne peux qu'échafauder une hypothèse : à un niveau instinctif, je pense qu'il s'agit d'un des poseurs de bombe. Cela n'est peut-être pas avéré dans les faits, mais pour moi c'est la vérité. Aussi, plutôt que de voir en lui une figure de mon passé, qui vit toujours dans ma mémoire, peut-être devrais-je le considérer comme un membre actif, toujours présent, plein de possibilités.

Pourquoi a-t-il fait ça ? J'aimerais lui poser la question en face, avoir avec lui une conversation honnête à la table de sa cuisine, si une telle chose est possible. Il n'était pas obligé de nous protéger, Esther et moi. Il nous a peut-être sauvé la vie. Et puis, quelques semaines plus tard, il a posé une bombe parmi les siens, massacré des gens qui s'étaient rassemblés un dimanche matin pour commémorer leurs morts. Comment peut-on vivre avec de telles contradictions ?

Est-il rongé par le remords, la paix a-t-elle transformé sa perspective, ou s'accroche-t-il encore à ses raisonnements avec la férocité d'un homme qui se noie ?

Peu importe. Cette conversation n'aura jamais lieu. Lui et moi ne nous rencontrerons jamais. Et quand bien même cela arriverait, je ne saurais pas qui il est. Une ombre ne ressemble à personne.

Le « présent » que nous vivons est une expérience relative. Pour qu'une chose soit présente, elle a seulement besoin de l'être dans ses effets, en affectant mes sens, même si elle n'est pas à proximité.

Tous les jours, l'homme de l'île exerce son influence sur mon corps. Il est la personne qui détient le plus de pouvoir sur moi. Il tourne et tourne dans ma conscience, comme une brindille coincée dans un tourbillon. Peut-être que mon seul espoir de lui échapper serait de ralentir le courant de mon esprit rationnel, de le faire s'incarner, qu'il se glisse dans le flux de mes expériences vécues.

11

RIEN NE GOMME AUTANT les différences que le travail collectif. Dans mon enfance, mon père cultivait le blé et l'orge, et les moments les plus heureux, les plus paisibles de cette époque étaient les soirs de moisson, quand ma mère et moi on apportait un plateau de sandwichs à mon père et aux gars, qui étaient restés coincés dans la cabine de leur machine pendant des heures. À mesure que cette journée de fin d'été se terminait, la grange était plongée dans une semi-obscurité. À ce moment de l'année, le soleil se couchait encore à 21 heures, donc ils devaient bien finir vers 22 heures.

Ces hommes avaient beau avoir des religions différentes, ils étaient tous semblables, fatigués, harassés par leur besogne. Je me souviens d'en avoir vu couverts d'huile hydraulique, avec de grandes traînées sur le front, mais lorsqu'ils plongeaient la main dans le plateau de sandwichs ou se passaient des cigarettes, l'impression de satisfaction qu'ils dégageaient me donnait hâte de grandir pour aller travailler avec eux. Une fois bu leur thé, ils jetaient le fond par terre, et je voyais le liquide se répandre sur le ciment, acte qui pour moi était en soi une ébauche d'anarchie, car il s'agissait là de quelque chose que ma mère n'aurait jamais toléré dans la maison.

Ces rassemblements dans notre grange furent peut-être les derniers du genre. Cette collaboration continue, même si je ne le savais pas à l'époque, était une forme de résistance, de protestation tranquille contre les divisions qu'on nous encourageait à creuser.

Quand j'essaie de dessiner le visage du poseur de bombe, je vois ces hommes. Lui, visiblement, me connaissait, ou du moins voyait qui j'étais. Il savait qui était mon père. Il n'est donc pas impossible de penser qu'il aurait pu se trouver parmi nous, parmi ces visages épuisés qui mangeaient nos sandwichs et buvaient notre thé, avec cette satisfaction tranquille de la besogne menée à bien sous le soleil de fin d'été.

Je me le représente clairement à présent en fermant les yeux. De brèves images qui s'étirent en des moments plus longs. Je le vois, jeune garçon, à environ douze ans, le soir, dans la campagne de Fermanagh. Il porte un jean gris et un fin pull marron. J'imagine la scène au début des années 1970, à peu près à l'époque où mes parents sont revenus de Liverpool. Les Troubles viennent de commencer. Les soldats ont débarqué et pris leurs quartiers à la caserne, en ville. Là où les routes traversent la frontière, des check-points ont été élevés, avec des pancartes où il est écrit : NE REJETEZ PAS LA RESPONSABILITÉ SUR NOUS MAIS SUR LES TERRORISTES. Ils font des descentes chez les gens sans s'annoncer, défoncent les portes à coups de pied. De jeunes hommes catholiques se retrouvent dans des camps d'internement, retenus sans procès.

Je le vois entrer dans son petit garage et en sortir la tondeuse, rangée dans un coin. Il la pousse jusque dans le jardin, tire sur le starter puis sur la poignée pour déclencher le moteur qui se met à vrombir. Je distingue si bien ses mouvements. Sa façon de soulever les roues avant lorsqu'il arrive au bord des plates-bandes. Combien il est méthodique, tondant la pelouse en traçant des bandes parallèles, tel un jardinier. Je sens la douce lumière du soleil qui décline, j'entends le ronron du moteur, je hume l'odeur de l'herbe coupée qui colle à ses bottes en caoutchouc.

Ensuite, il mange son dîner, regarde un peu la télé puis va se coucher de mauvaise grâce quand sa mère le lui ordonne. J'entends la lassitude dans sa voix à elle. Elle en a marre de donner des ordres, d'être celle qui structure ses journées.

À présent, je le vois qui s'éveille dans son lit. Tout est si clair pour moi. C'est une petite chambre en haut de la maison. Les murs sont peints en gris clair. Le toit est si pentu qu'on ne peut tenir debout que dans une partie de la pièce. Il a des posters de tracteurs et de voitures accrochés au plafond mansardé. Au pied de son lit, une pile de magazines automobiles. Sur l'étagère, les catalogues d'engins agricoles que lui ont donnés les représentants au Ploughing Championship, où il se rend avec son père tous les ans en septembre. Je sais qu'il aime y aller. Le Ploughing Championship est sans doute le couronnement de l'année pour lui. Son père passe la journée dans un bar installé sous une tente tandis que lui va chercher des catalogues qui servent à prouver combien leur présence est fructueuse.

Il est frêle, une peau de lait, à l'exception de son visage, qui garde la trace du soleil d'été, les cheveux courts. Quand c'était sa mère qui les lui coupait, ils étaient plus longs. Depuis qu'il va chez le coiffeur, en ville, il ressemble à tous les autres garçons de sa classe.

Je le vois rejeter ses couvertures et enfiler ses vêtements qui gisent par terre, froissés. Après le petit déjeuner, il mettra son uniforme d'école, mais il est encore tôt. C'est son moment à lui : personne n'est encore debout, à lui donner des ordres ; liberté du petit matin. Il se lève pour remonter son jean. Sous les genoux, des brins d'herbe se sont accumulés lorsqu'il a passé la tondeuse ; ses bottes en caoutchouc ne montent pas assez haut. Il s'époussette. Mieux vaut laisser les brins d'herbe par terre dans sa chambre qu'en mettre partout dans la maison. Il noue les lacets de ses baskets puis se glisse dans la cuisine où il réveille leur chien, Fluther, pour le prévenir que c'est lui – il ne voudrait pas qu'il aboie et tire du sommeil toute la maisonnée. L'animal a été baptisé du nom d'un des personnages de *La Charrue et les Étoiles*, une vieille pièce que sa mère aime bien. Fluther a bon caractère et ça ne le dérange guère de se faire réveiller ainsi. Langue pendante sur le côté, il regarde le garçon sortir par la porte de derrière, puis la refermer doucement. À travers la vitre, celui-ci adresse un signe au chien pour lui faire comprendre qu'il doit rester dans son panier. Fluther pose la tête sur ses pattes ; il viendra bientôt quelqu'un d'autre.

Le garçon traverse tranquillement la cour, grimpe sur le réservoir à mazout dans le jardin, puis sur le toit plat du garage, et se met à crapahuter sur le toit de tuiles de la maison ; la chambre de ses parents est à l'opposé.

Il vient d'entrer au collège et ça lui plaît, même s'il rechignerait à l'admettre. Certains matins, appuyé contre le radiateur en attendant que le cours commence, il se sent vraiment à sa place. Ces discussions faciles à propos de rien. Tout le monde habite à côté : il n'y a pas de cars de ramassage scolaire, et les parents n'ont pas besoin de les déposer. Les jours où il pleut, ils se serrent tous et toutes autour du radiateur, garçons et filles, et dans l'air flotte une odeur d'humidité, de tissu légèrement brûlé, comme quand sa mère fait du repassage. Sur le mur de la classe sont affichés des triangles de papier : isocèle, équilatéral, scalène, acutangle, obtusangle. Au-dessus, une carte de l'Europe. Les pays sont représentés dans des couleurs vives, jusqu'à l'Allemagne de l'Est. Ensuite, ils virent au gris. Le reste du continent se terre derrière un rideau de fer. Le garçon se demande si ce rideau est constitué d'une cotte de mailles ou s'il s'agit d'une clôture solide qu'on peut ouvrir grâce à des rails, pareille à une porte de garage. La frontière entre l'Irlande du Nord et le Sud serpente telle une varice.

Il n'est encore qu'un garçon. Les cigarettes l'aident à passer à l'étape supérieure. À l'école, lors de la pause déjeuner, il retrouve les autres dans le verger au bout du terrain de sport. De là, ils voient leur établissement mais sont dissimulés par les branches, aussi aucun prof ne peut-il les surprendre. Toutefois, ils cachent leurs cigarettes dans leurs mains, tenant le filtre à l'envers entre le pouce et l'index pour former autour une espèce de protection.

Depuis quelque temps, il fume avant de partir en cours. Il aime renifler ses doigts ensuite, ça sent le hareng ou la viande fumés.

Je le vois assis sur son toit, goûtant au silence de ce matin de fin d'été. Le soleil indistinct. Le balancement des arbres. Des chevaux qui traversent un pré, le pas tranquille.

Il aime ce sentiment de liberté lorsqu'il tient une cigarette tout en contemplant la campagne de là-haut. Là, il n'est plus tenu d'obéir à quiconque.

Le frottement d'un briquet. La brûlure du tabac dans ses poumons. La façon dont la fumée reste en suspens dans l'air frais, presque solide. Des chauves-souris folâtrent au-dessus de sa tête. Il n'a jamais réussi à déceler un modèle dans leur vol désordonné. Cette façon qu'elles ont de fuser à travers l'espace, sans plan ni objectif, sans jamais entrer en collision, se dirigeant grâce à l'écholocation.

Les bâtiments semés à travers le paysage qui l'environne ne suivent aucun plan non plus, comme si on avait jeté les maisons depuis un hélicoptère.

Les phares d'une voiture franchissent le sommet de la colline devant lui, projetant leurs tons de jaune sur le jour. Elle avance lentement. Elle va tourner à droite, puis à gauche – il la perdra un moment derrière un gros chêne, puis la verra s'arrêter soudain avant le prochain carrefour. Il le sait car il voit le fossé bouger, une patrouille de paras apparaît sur la route en prenant soin de ne pas trop se montrer.

Le véhicule ralentit. Le chef de patrouille se penche vers la fenêtre, arme pointée. Déjà, ils connaissent les noms du propriétaire et des personnes qui conduisent cette voiture. Un soldat qui fait le guet la suit des yeux depuis un ou deux kilomètres. Le numéro d'immatriculation a déjà été passé en revue. Le chef de patrouille prend les papiers, s'écarte, donne les détails dans son talkie-walkie, un éventail de canons toujours pointés sur le conducteur. Puis il revient se pencher à la fenêtre, rend les papiers, tape du poing sur le toit pour marquer la fin de l'échange, et le véhicule repart lentement, serpentant à travers la nuée des collines, jusqu'à ce qu'il soit hors de vue.

Il est à la fois celui qui regarde et celui qui est vu. Il est certain qu'on l'observe de loin. Ils doivent trouver son comportement étrange, ainsi assis sur le toit de sa maison au lever du jour. Ils savent son nom, ils savent que son père est éleveur de bétail, qu'il fait passer les bestiaux d'un côté à l'autre de la frontière. Ils savent que le camion de son père est en lattes de bois peintes en orange sur les côtés, que son phare arrière gauche ne fonctionne plus depuis des années. Ils savent que le garçon est aussi dans l'import-export. Deux fois par mois, il livre du thé et du beurre à la boutique Murray de l'autre côté de la frontière, avec de temps en temps quelques extras : du shampoing, de l'allume-feu – qu'ils achètent beaucoup moins cher que chez les grossistes dans le Sud.

Un dimanche sur deux, Neil Murray note dans un registre l'inventaire de ses stocks, puis il prend un rouleau de billets rangé dans une vieille boîte de pellicule photo, humecte son pouce, en prélève quelques-uns sur la liasse et les pose sur la cheminée. Le garçon les prend, recompte. À la moindre erreur, il est seul responsable. Il range la moitié des billets dans une enveloppe qu'il glisse dans sa poche arrière puis il rend l'autre moitié à Neil Murray pour réinvestir son argent en cartouches de cigarettes et fromage Mitchelstown qu'il revendra aux Flanagan, qui possèdent un magasin et une station-service dans sa ville.

« Le garçon apporte, dit toujours Neil Murray à sa femme après que l'adolescent est reparti, et le garçon remporte. »

Il opère le soir en passant par les petites routes ou à travers champs. Son commerce est trop réduit pour que les soldats s'y intéressent. Lorsqu'il pleut, il utilise la bâche en plastique transparent qu'il a volée sur une palette d'aliments pour bestiaux. Si on l'arrête, il donne en général quelques cartouches de cigarettes. « Dites-leur qu'elles sont tombées d'un landau. » Il change d'itinéraire de manière aléatoire. Tout le monde sait qu'il faut éviter la routine. Les habitudes peuvent être fatales.

Le garçon a une sœur, Una, plus jeune que lui de quelques années. Il a aussi un frère, Joe, qui sert chez les Irish Rangers, un régiment de l'armée britannique. Il s'est engagé au milieu des années 1960 – ce qui n'était pas si insolite pour un jeune catholique à l'époque. À présent, c'est un problème pour toute la famille. Il sait que les gens parlent de Joe. Qu'il attire les regards quand il débarque en ville.

Pendant cinq ans, Joe a été stationné à Oman. Le garçon est encore capable de nommer certaines provinces de ce pays. Dhofar, où Joe s'est battu. Mascate. Moussandam, un nom qui à ses oreilles ressemble à une bénédiction. Parfois il prononce ce nom devant une glace, joint les mains et s'incline. Moussandam. Un chameau en cuir trône sur l'étagère au-dessus de son lit, en guise de souvenir.

Lorsqu'il franchit la frontière en poussant son chargement de marchandises illégales, il lui arrive souvent de discuter avec des soldats. La plupart sont jeunes, juste quelques années de plus que lui. Il sait que s'il en croise un seul, loin de sa patrouille, il doit se montrer encore plus prudent, plus mesuré dans son discours. Souvent, leurs mains tremblent. Ils paraissent si exposés, si étrangers – ils essaient encore de trouver leurs marques dans cet environnement, à croire qu'ils se sont engagés au bureau de recrutement, ont tourné au coin de la rue et se sont soudain retrouvés là, isolés avec leur arme dans un paysage qui, au premier abord, est familier, facile, réconfortant, et pourtant erratique, sans cesse changeant, tel un parent violent. Ils sont tout sauf autonomes. Le garçon se demande s'ils seraient seulement capables de retrouver le chemin de la base si leur radio tombait en panne.

Il glisse le nom de Joe dans la conversation dès qu'il peut, mentionne les Rangers. Au début, ils se montrent toujours méfiants – son nom va à l'encontre de ce à quoi ils s'attendent –, alors il leur cite Dhofar, Mascate et Moussandam. Signe de reconnaissance, de solidarité. En échange, ils lui livrent le nom de l'endroit d'où ils viennent en Angleterre. Doncaster. Leicester. Tooting. Son préféré, jusqu'ici, c'est Weston-Super-Mare. On dirait un nom dans une BD. Peut-être qu'un jour il ira.

Il sait désormais où on trouve la meilleure morue frite à Felixstowe. Il sait que si jamais l'envie le prend d'aller à Newcastle voir jouer le Sunderland FC, il faut aller au guichet numéro trois à Roker Park et demander Archie.

Ils l'arrêtent au creux des chemins, ou parfois au beau milieu d'un champ. Il a fabriqué lui-même son chariot. Il a pris une vieille armoire, a fixé les quatre roues d'un landau sur les côtés et scié en deux un manche à balai pour servir de poignée. Il a peint son nom d'un côté, avec soin, dans une belle calligraphie. Pour montrer qu'il n'a rien à cacher, rassurer les soldats afin qu'ils comprennent qu'il ne cherchera pas à s'enfuir. Un jour, il est allé voir Franck Hickey qui parfois peint des enseignes et lui a demandé des conseils. Frank a accepté si en échange il l'aidait à nourrir au biberon des veaux qui avaient la diarrhée. Il a accepté. Frank a été impressionné par son agilité, sa façon d'attraper un veau qui s'échappait en passant les bras autour de son cou, puis de le ramener dans un coin de l'étable et de le coincer entre ses jambes en quelques gestes souples.

« Ton papa t'a bien formé », a conclu Frank à la fin.

Le garçon n'a pas répondu, il s'est contenté d'acquiescer. Frank l'a amené dans son atelier et lui a montré comment tracer quelques lettres au crayon, puis il a pris des vieux pinceaux et des flacons de peinture dont il n'avait plus besoin et l'a fait s'entraîner à remplir l'intérieur des caractères sans dépasser grâce à un appuie-main. Ensuite, le garçon a pris un vieux sac en toile dans un coin de l'étable, s'est essuyé les doigts et a demandé à Frank Hickey s'il lui devait quelque chose, et celui-ci a répondu : « Non, on est quittes, maintenant, tu as fait du bon boulot avec les veaux. » Alors le garçon a serré la main à Frank, et il est parti.

À douze ans, il a maintenant conscience de l'interaction entre la nature et le langage. Il est des choses que les gens dissimulent derrière les mots, il y a des mots cachés à l'intérieur des choses, comprimés, prêts à fleurir à tout moment.

Il ne lit plus les magazines automobiles empilés au pied de son lit. Il va dorénavant chercher de vieux exemplaires du *Farmer's Journal* rangés au coin de la cheminée. Il sait désormais qu'il n'aura jamais de voiture fantaisie. Les images des magazines montrent d'autres lieux, d'autres gens. Le *Farmer's Journal* lui parle de sa vie à lui. On y aborde les sujets dont son père parle avec les autres. Tout ce qu'il glanera entre ces pages lui permettra de s'attirer le respect. Il est assez grand pour savoir que même ses manuels scolaires n'ont pas ce pouvoir. Ainsi lit-il des articles sur la strongylose, la petite douve du foie, la diarrhée ou la fièvre du Texas. Toutes les curiosités du corps, ses excréments et ses faiblesses. Sa soif de connaissances ne s'est pas encore étendue à sa propre chair. Elle est encore en sommeil. Il en a vaguement conscience, bien qu'il ne sache pas quelles conséquences cela aura sur la suite.

Le troisième estomac des ruminants s'appelle le *psalterium*. Le mot signifie également « psautier » en latin. Le corps est l'instrument des cantiques inchantés.

Sa mère est institutrice à l'école primaire un peu plus loin en suivant la route, un bâtiment de deux salles, chacune chauffée par un poêle situé à côté du bureau de la maîtresse. Elle s'occupe des plus jeunes, elle a trois niveaux différents dans sa classe, une colonne de pupitres par année. Le nombre total de ses élèves est en général compris entre vingt et vingt-cinq. Quand elle leur donne des exercices, cela lui laisse le temps de remettre du bois dans le poêle. Les enfants l'apprécient. Elle n'est pas prompte à gronder. Elle maintient la discipline d'un regard et les menace de parler à leurs parents, ce qui en réalité ne se produit jamais, mais plane toujours dans l'air.

En raison de sa fonction, les voisins les plus âgés viennent chez eux le soir pour lui demander de leur lire une lettre d'Amérique, d'Australie ou d'Angleterre, et de rédiger la réponse. Le garçon les écoute parler, leurs voix montent à travers le plancher. Les lettres reçues évoquent les différences, le manque de repères, un malentendu au travail, un appartement raté, un voisin qui joue d'un instrument aux petites heures du jour. Il en a tant entendu qu'il est capable de discerner, selon les mots, depuis combien de temps la personne est partie – le regain de confiance est apparent dès qu'ils commencent à maîtriser leur nouvel environnement. Par la suite, les courriers n'évoquent plus les nécessités de base – appartements, emplois –, mais des vêtements, des voitures, des mariages.

La réponse est toujours collective. Sa mère choisit des événements de la vie locale et encourage les correspondants à les raconter avec leurs mots à eux. Ils parlent du prix du bétail, d'enterrements, de journées passées aux arcades de Bundoran, du bal de la paroisse, de la naissance d'un bébé. Sa mère écrit de la même manière qu'au tableau, à l'école. Ses lettres sont penchées en avant, impatientes, mais elles gardent leur forme, sont toujours bien proportionnées, les minuscules mesurant exactement la moitié des majuscules. Lorsqu'il écrit, lui, les mots semblent se heurter, glisser de la page, alors que les phrases de sa mère demeurent égales et équilibrées.

Parfois, les visiteurs ne respectent pas le rythme des réponses. Ils arrivent avec une nouvelle urgente. Dans ces cas-là, sa mère note sous la dictée : elle ne suggère plus, elle se contente d'encourager et de transcrire. Le garçon écoute avec autant d'attention les hésitations de la personne qui s'exprime que ses mots. Il imagine que la lettre sera ouverte par une infirmière à Londres, devant Buckingham Palace. À New York, dans la rue, à côté de l'Empire State Building, une serveuse en tablier parcourt ces lignes, bousculée par des messieurs en costume. Un homme glisse le doigt sous le rabat de l'enveloppe devant une cabane dans le bush en Nouvelle-Galles du Sud, le visage maculé de poussière.

Certains jours, quand la séance d'écriture est terminée et la conversation lancée, il descend les rejoindre. Il choisit ses soirs avec soin. Il sent les moments où sa mère acceptera de le laisser rester un peu avant de le renvoyer là-haut. Il quitte sa chambre et se dirige vers l'escalier.

Un soir, son oncle Seamus, le frère de sa mère, est dans la cuisine. Il avise sa casquette au crochet, au dessus usé. C'est parce que Seamus est ouvrier. Il transporte des tuiles sur sa tête en montant à l'échelle, et une casquette ne lui dure que deux mois.

Il y a eu du remue-ménage ces derniers jours. L'UDR, le régiment de défense de l'Ulster, est là. Il ne sait pas grand-chose à ce sujet, seulement que ce sont tous des protestants et qu'ils font ça à temps partiel, ce ne sont pas de vrais soldats comme Joe. Ils portent des vestes à motifs camouflage, avec des bérets verts et une harpe sur leurs insignes. Un des gars à l'école a dit qu'ils n'avaient pas besoin d'uniforme : on les reconnaît à l'odeur. Le garçon les a vus au journal télévisé, défilant tels des bulldozers, leurs matraques s'agitant dans tous les sens.

Il entre discrètement dans la cuisine, s'assoit sur une chaise près de la porte. Seamus vient de la ville. Il s'est passé quelque chose devant le couvent. Un groupe de gens s'est rassemblé parce qu'ils avaient peur d'un raid contre le saint lieu. Le garçon se demande bien pourquoi ils feraient ça. Il est entré plusieurs fois dans le bâtiment pour porter un message de l'école. Là-bas, il n'y a rien à part des tableaux, des cierges et des statues de Notre-Dame – on dirait qu'on lui a piqué les fesses avec un tisonnier.

Seamus a traversé la ville. C'était plein de volontaires de l'UDR. Des files de voitures de chaque côté de la rue. « Ces bâtards à béret par centaines, tas de petits pignoufs, tous autant qu'ils sont », dit-il. Seamus passe en revue les noms de ceux qu'il a reconnus. Le garçon les connaît aussi. L'un travaille à la cimenterie. L'autre est ouvrier agricole chez les McGuigan. « Et tous ils portaient ces longs fusils noirs avec la crosse en bois poli.

— Imagine ça, dit la mère du garçon.

— Pas besoin d'imaginer, pour sûr ! » La voix de Seamus est ramollie par la boisson, ses phrases se traînent, se perdent aux entournures. Une bouteille de whiskey Powers est posée sur la table. Seamus s'en verse une bonne lampée. La mère du garçon est au fourneau.

« Ah mais il est là, lui, dit Seamus. Dis-moi, mon garçon, est-ce que tu cultives ton avenir ?

— Non.

— Alors écoute-moi, commence dès le matin. Plante la graine, pour sûr. Tout roule pour ces p'tits gars. Tu te trouveras une grande maison, avec une bonne petite maîtresse de maison, et tout le vin possible d'ici à Fatima. T'en penses quoi, Maureen ? »

La mère du garçon pose une assiette de boudin avec du pain beurré devant Seamus.

« Mange ça pour éponger », dit-elle.

Elle a le regard doux, mais celui qu'elle a quand elle vient le border dans son lit l'est encore plus. Sa mère aussi a bu un verre ou deux.

Seamus se lève et manie son couteau tel un chef d'orchestre sa baguette.

« L'histoire de toutes les sociétés qui existent, annonce-t-il, c'est l'histoire de la lutte des classes.

— Allez, tais-toi, comporte-toi en homme bien élevé, maintenant. Le spectacle est terminé. »

Sa mère l'asperge d'eau bénite chaque fois qu'il quitte la maison. Il y en a des bidons entiers au-dessus de la baignoire, elle les rapporte du pèlerinage à Knock qu'elle fait tous les étés. Ce sont les mêmes contenants dans lesquels on stocke la térébenthine au magasin de bricolage. Le garçon pense que la térébenthine est plus efficace.

Son père a un sacré caractère, tout le monde le sait. Naguère, il travaillait à la mine de charbon de Castlecomer. Sa mère dit souvent que son père est resté coincé au fond. Quand ils se disputent, il donne des coups de poing dans le mur. Au bruit, on dirait du bois qui frotte contre du verre. Ses mains ne saignent jamais. À croire qu'il est lui-même constitué de charbon.

« Je vis avec un foutu pape », dit souvent son père.

Il est aussi colombophile. Il n'élève pas ses pigeons pour la course ; la compétition, ce n'est pas pour lui. Il préfère leur faire faire des tours : culbutes, loopings, piqués. Chaque matin, après le petit déjeuner, il fait démarrer le moteur de son camion. Il faut le bichonner pour que ça marche. Il le laisse tourner un moment et pendant ce temps-là, va saluer ses oiseaux. Son préféré est un orlik. Il est petit, couleur rouille, avec du blanc au bout des ailes. Lorsqu'il vole, on dirait un aigle. Il sort du colombier droit comme une flèche, sans jamais décrire de cercles, plein de détermination. Il est capable de monter jusqu'à huit cents mètres dans le ciel. Le garçon aime tout particulièrement le fait que, malgré leur liberté, les pigeons rentrent toujours à la maison.

Son père s'adresse aux oiseaux d'une voix douce. Il les prend délicatement entre ses mains. Le garçon, lui, n'arrive pas à les saisir, ils refusent de se laisser attraper. Mais son père a le truc, il enroule son index et son pouce autour de leur cou. Difficile de croire que pareilles mains puissent être si tendres. Et pourtant, oui. Les pigeons le regardent, dociles, confiants, agitant le cou.

Le soir, quand il fait beau, il observe son père contemplant ses oiseaux qui font des vrilles au-dessus de la maison. Celui-ci dit qu'il n'y a pas de plus noble animal. Que les anciens Grecs les adoraient en tant que messagers des dieux, et les Grecs, ils s'y connaissaient en dieux.

Il les nourrit de riz trempé dans du miel, puis dissous dans l'eau. Ils boivent aussi l'eau de cuisson des légumes que leur donne sa mère. Ça aide à purifier le sang. La maladie, lui explique son père, se répandrait dans le colombier comme le feu dans une meule de foin.

Environ une année passe. Il est assez grand pour avoir du temps à lui. Il aide son père à s'occuper du bétail dans les prés, ce qui lui donne une sorte d'autorité. Puisqu'il fait le travail d'un homme, on ne le traite plus en enfant.

Bridie, la cousine de sa mère, débarque dans leur cuisine un dimanche après-midi. Son père est sorti. Le garçon se trouve dans sa chambre sans fenêtre, mais il reconnaît le bruit du moteur de toutes les voitures qui viennent régulièrement chez eux. Bridie vit seule dans une maison dans les collines et conduit une Morris Minor bleue qu'elle change tous les deux ans chez le concessionnaire de Fivemiletown. La couleur est toujours bleue. Le garçon ne se demande jamais pourquoi Bridie ne s'est pas mariée – il est évident qu'elle n'est pas du genre à se mettre en couple. Elle porte une blouse à fleurs par-dessus ses vêtements et enfile un manteau gris lorsqu'elle sort. Il ne sait pas quel âge elle a. Le samedi, elle va chercher les sœurs du couvent de Belcoo pour les emmener en promenade. Dieu sait où elles vont. Ou de quoi elles parlent. Chaque semaine, elle va voir la coiffeuse de l'hôpital. L'idée d'aller dans un salon de coiffure en ville lui déplaît, d'après sa mère. Le garçon pense que Bridie a peur des magazines qu'on trouve dans ce genre d'endroits.

Bridie est nerveuse mais jamais elle ne perd son sang-froid. Tout acte, toute pensée moderne, jusqu'à la plus petite manifestation, lui paraissent affreux, épouvantables, effrayants. Ses réactions face à ce genre de menaces ne se manifestent cependant qu'en paroles. Aux yeux d'un homme sourd, Bridie paraîtrait sûrement aussi comblée qu'un moine.

Dans sa chambre, l'attention du garçon est attirée par les voix. Celle de Bridie est toujours monotone. Il s'est passé quelque chose cependant. Il écoute plus attentivement. On a tiré lors d'une manifestation pour la paix à Derry. L'armée a fait feu sur la foule. Il descend à la cuisine et dit à sa mère qu'il sort. Elle l'entend à peine tant elle est sous le choc. Bridie lui rappelle de se signer avec l'eau bénite avant de sortir.

Il prend son vélo, se rend chez deux familles voisines, et une demi-heure plus tard, trois garçons traînent à travers la ville endormie. Et puis ils sont beaucoup plus nombreux, tous mus par la même impulsion, cherchant quelque chose à quoi s'attaquer. Ils descendent la grand-rue vers la caserne, tout au bout. « La grand-rue, c'est toujours la plus longue », dit Dunner.

Fats est le premier à lancer une pierre. Le garçon ne le voit pas la ramasser. D'habitude, c'est Fats le plus calme. Les autres, plus âgés, se retournent. Fats a cassé la vitrine d'un photographe. Ce dernier refuse d'assister aux cérémonies catholiques. Bien fait pour lui, pense le garçon. S'il avait exposé des photos de communions, il n'aurait pas eu de problème.

Une autre vitrine se brise. Celle d'un comptable. Ça bouge au bout de la rue.

Encore une vitrine, quelques gars de la RUC se mettent à crier et à courir vers eux. Ils ne portent même pas leurs casquettes. Leurs cravates sont desserrées. On dirait qu'ils ont dû enfiler leurs chaussures pour sortir. Ils ont cinquante mètres à parcourir pour atteindre les garçons, mais au bout de dix mètres, ils sont rouges, essoufflés. Ils parcourent encore dix mètres, et c'est tout. Une pluie de pierres les oblige à reculer. Ils ferment le portail de métal sous les cris de joie des jeunes.

Quand le portail se rouvre, les garçons ne sont plus seuls dans la rue. Des gens sortent des sacs de charbon de leurs remises. Du bois de chauffage. Les plus avisés ont rempli des poubelles de cailloux en prévision de ce genre d'occasion. Dans l'anticipation, ils font retentir les couvercles de leurs poubelles en frappant le sol. La RUC s'est préparée, cette fois. Ils ont revêtu leur armure. Casques, boucliers anti-émeute, matraques, masques à gaz. Le garçon est en première ligne. Ils ont déclenché l'émeute, aussi ont-ils l'honneur de la mener.

Avec ses amis, ils se mettent à lancer des morceaux de charbon et de bois sur les hommes de la RUC, qui ne réagissent pas. Ceux-ci restent où ils sont, devant le portail, ils attendent. Puis ils commencent à jeter des grenades lacrymogènes et l'air vire au blanc. Il a les yeux qui piquent. Des nausées. Il s'étrangle comme s'il vomissait. La foule se précipite en avant autour de lui, puis recule. Quelqu'un l'entraîne vers l'arrière. Il se retourne et voit un autre escadron anti-émeute à l'autre extrémité de la rue. Ils essaient de les prendre en tenaille. La foule s'engouffre dans une ruelle. Plusieurs hommes poussent une voiture à l'entrée. L'un d'eux retire le bouchon du réservoir d'essence. Un autre allume un chiffon et fait signe à tout le monde de reculer.

Le garçon se retourne et voit des hommes commencer à déterrer les pavés de la chaussée.

Sa mère le suit des yeux à son retour. Elle sait, il le sent. Quand il était petit et qu'elle rentrait tard, elle venait le voir dans sa chambre, il était censé dormir, mais elle devinait toujours s'il faisait semblant. Il s'étonne qu'elle n'ait pas encore compris qu'il fumait. À moins qu'elle ait décidé de ne rien dire. Il évite de la regarder, s'occupe en se préparant un sandwich.

« Où étais-tu ?

— J'étais sorti.

— Avec qui ?

— Des copains.

— Et ils ont des noms, ces copains ?

— Tu les connais pas. Y avait Dunner. Tu connais juste Dunner. »

Les parents de Dunner se foutent complètement de ce qu'il fait. Même si sa mère téléphonait, ça ne poserait pas de problème.

« Il y a eu une émeute en ville.

— Ouais.

— Où étais-tu ? »

Il s'arrête et la regarde. Il a les yeux explosés, il le sait. Encore humides. Il ne veut pas qu'elle imagine que ce sont des larmes.

« Pourquoi tu poses la question si tu connais déjà la réponse ? »

Elle a l'air choquée. Jamais il ne lui a parlé ainsi. C'est un enfant diligent, toujours respectueux. *C'était* un enfant diligent, toujours respectueux. C'était un enfant. Il ne se sent plus du tout enfant.

Sa mère est contrariée, elle cherche la réponse appropriée.

« Ton père viendra te parler quand il rentrera.

— Je vais pas retenir ma langue. »

Son père est à Longford. Il ne sera pas de retour avant plusieurs heures.

Ils se rendent à Drogheda. Il aime aller dans le Sud. Là-bas, il respire. Dès qu'ils ont franchi la frontière, tout est beaucoup plus détendu. Son père dit : « Ici, on est dans le vrai, pas un de ces trous qui baignent dans l'eau bénite. » Ils sont venus en ville faire des courses, et se rendent à l'église pour voir la tête de l'archevêque Oliver Plunkett. Le garçon a tout appris sur lui en cours d'histoire. L'archevêque Oliver Plunkett fut pendu, éviscéré et démembré par les Anglais pour avoir défendu la foi catholique. Le pape l'a béatifié. Ce qui signifie qu'il a l'oreille de Dieu. Tout ce que vous demandez à l'archevêque Oliver Plunkett va directement en haut lieu.

On dirait que la tête de l'archevêque Oliver Plunkett est en cuir. Il ressemble un peu à ces orangs-outans qu'on voit dans les documentaires animaliers. Sa bouche grimace, à demi ouverte. On voit ses dents. Il a la même expression que son père quand il écoute les courses de chevaux à la radio. Le garçon se demande si tous les morts ressemblent à ça. Si son pépé, le héros républicain du cimetière, a cette tête-là, son visage de cuir grimaçant sous l'humus.

Sa mère s'agenouille devant lui et dit ses prières. Son père attend dehors en fumant une clope. Una porte une robe d'été qu'elle avait déjà au mariage de Padhraig Keogh l'année dernière. Et des chaussures à boucles. Il lui donne un coup de coude pendant qu'elle prie mais elle ne le remarque pas. Elle a fait sa confirmation il y a quelques mois, depuis elle montre une piété féroce. Ce qui lui attire beaucoup de compliments. Lors de ses visites, Bridie lui donne une image pieuse et de l'argent. Son frère ne reçoit jamais rien. Il en déduit qu'il est déjà irrécupérable.

Il dort quand ils enfoncent la porte d'entrée. Il est capable de reconnaître le bruit d'un camion militaire à deux kilomètres de distance, mais il a le sommeil lourd. Les soldats ont déjà grimpé la moitié de l'escalier lorsqu'il ouvre les yeux. Son père hurle. Fluther aboie. Maintenant, c'est sa mère qui hurle. Et Una. Il est encore dans son lit au moment où ils s'engouffrent dans sa chambre. Ils lui arrachent ses couvertures. L'un d'eux pose le pied sur son oreiller et enfonce le canon de son fusil dans sa bouche. Tout ça se passe en un éclair, et le garçon sent qu'une de ses incisives du bas est ébréchée. Il est toujours allongé sur son lit, il regarde le soldat. Il ne voit rien d'autre. Le visage joufflu et rougeaud bloque tout le reste. Son haleine sent l'alcool. Le garçon voudrait bouger, pousser le canon de ce fusil, mais son corps ne répond plus. Dans sa tête, une voix : elle est si douce et si claire qu'il croirait entendre la radio. *Tout sera fini dans quelques minutes. Reste calme. Ne bouge pas tant qu'ils ne te le demandent pas.*

« Est-ce qu'y faut que je fasse sauter ta putain de cervelle ? Hein ? Tu veux que je fasse sauter ta putain de cervelle ? »

Le soldat vient du nord de l'Angleterre – il reconnaît son accent. Le garçon a dépassé sa peur. Il a conscience de tous les micromouvements qui se succèdent sur le visage du soldat. Il a des sourcils presque blonds. Il est effrayé. Il affiche la même expression que ses collègues qui traînent seuls sur les routes, mais en plus fort, en plus intense. Ça lui fait penser à la flamme bleue qu'il est censé ne pas regarder quand son père fait de la soudure.

Sa mère est en bas dans le couloir. « Où est mon fils ? Où est Una ? »

Una glapit. Un cri d'animal qu'il ressent jusque dans ses dents.

Ils le balancent dans l'escalier. Sa mère est plantée au milieu du salon en chemise de nuit, tremblante comme un veau nouveau-né. Derrière lui, Una rebondit contre le mur et fait tomber tous les cadres. Elle se retourne : le sang coule de ses yeux. Le garçon et son père portent des pyjamas assortis. Mais son père a été remplacé par une doublure. Il est plus vieux. Timide. Frêle. Guère présentable. Le garçon le dévisage un moment avant de comprendre que c'est bien son père. Sa mère appelle Joe. Est-ce qu'elle croit qu'il vit encore ici ? Ou essaie-t-elle de leur dire que son fils fait partie des Rangers ? Pense-t-elle qu'il est là ?

Son père est tout en retenue. Il réagit à peine, fait ce qu'on lui dit. Le garçon ne sait pas s'il doit l'admirer ou le mépriser.

On dirait qu'il y a vingt personnes dans le salon. Ils tapent avec leurs armes dans tout ce qu'ils voient. Dévastation complète. La grande horloge en pied vacille et s'écrase par terre. Tout se déroule au ralenti. Le garçon fait un pas de côté pour ne pas qu'elle lui écrase la jambe.

Fluther aboie, court partout en rond, tente de mordre les soldats. Deux d'entre eux réussissent à l'immobiliser par terre, attachent une corde autour de sa gueule et l'entraînent dehors. Ils doivent aussi maintenir à terre le garçon pendant ce temps. On entend un coup de feu. Le garçon hurle, Una hurle. Leur mère se cache la tête sous son aisselle, comme un pigeon. Ils emmènent dehors le garçon et son père, là où leurs camions sont arrêtés. Enfin, son père perd son calme. « Ce n'est qu'un enfant. » Il répète inlassablement cette phrase. « C'est une saloperie de petit républicain, voilà ce que c'est », lui lance le chef. Ils font monter le garçon et son père dans la même Jeep et leur ordonnent de s'allonger par terre. Le moteur démarre. Une pluie de coups de crosse s'abat sur eux. Explosion de douleur dans ses bras, ses jambes, son dos. Ils lui crachent sur la tête. Ils attrapent son père par les cheveux et lui fracassent le crâne plusieurs fois contre la radio au fond de la Jeep. Elle fait la taille d'un réservoir à essence, mais en plus lourd, elle bouge à peine sous l'impact.

L'un d'eux pointe son revolver sur le visage de son père, retire la sécurité et lui ordonne de chanter « The Sash », une vieille chanson loyaliste. Celui-ci répond qu'il n'en connaît qu'un couplet. « Ça ira », dit le soldat. Le garçon a toujours la figure appuyée contre le sol. Il doit fermer un œil pour regarder son père. Celui-ci chante. Le garçon ne l'a encore jamais entendu chanter. Son père reprend sa respiration entre chaque vers, comme un petit enfant.

Les soldats puent l'alcool. Le garçon sait que son père et lui n'arriveront peut-être pas à la caserne. Il se souvient d'un soir, quand il était petit. Ils étaient tous à table, lui, Joe, sa mère, Una, son père, tous ensemble, Una était dans sa chaise haute, elle hurlait à pleins poumons, la bouche grande ouverte, si fort et pendant si longtemps qu'ils n'arrivaient même plus à penser. Alors son père l'a attrapée, l'a emmenée dehors et l'a plongée dans le tonneau d'eau de pluie. Le garçon les a suivis, sa mère et Joe sur les talons. Il a vu la rage sur le visage de son père, et la peur glacée qui avait envahi tout le corps d'Una. À présent, il regarde son père et voit la même peur balbutiante l'envahir, le choc – sauf que cette fois, c'est son père qui est paralysé par la peur.

Les soldats leur ordonnent à tous les deux de chanter « God Save the Queen ». Les paroles mettent les soldats en transe. Ils tapent du pied, martèlent le rythme à coups de crosse dans le dos du garçon.

Arrivés à la caserne, ils traînent le garçon et son père par les cheveux dans un escalier jusqu'au sous-sol. Des rangées de couchettes de chaque côté, remplies de soldats qui les frappent au passage. Le garçon s'aperçoit que le pyjama de son père est déchiré d'un côté, on voit son cul et sa cuisse. Son père a l'oreille en sang. Ils le jettent dans une cellule. Dès qu'il s'aperçoit que son fils ne le suit pas, il explose. Il faut quatre hommes pour le remettre à l'intérieur. Il beugle le nom de son fils, encore et encore. Celui-ci se retourne vers lui tandis qu'on l'entraîne dans le couloir. Son père ouvre si grand la bouche que le garçon voit jusqu'au fond de sa gorge.

Ils ne l'enferment pas dans une cellule. Ils l'emmènent jusqu'à une sorte de caravane un peu à l'écart. La nuit est glaciale, mais le garçon ne sent pas le froid. Un homme vêtu d'un pull rouge et d'un pantalon beige est assis à une table de camping. Le garçon doit se tenir droit. Il est si fatigué qu'il a l'impression que seul son squelette le maintient debout. Chaque fois qu'il vacille ou se ramollit, un soldat lui hurle à l'oreille. L'homme annonce au garçon que son père fait passer des explosifs à la frontière. Le garçon répond qu'il ne le croit pas. L'autre ajoute que les chiens renifleurs sont très excités par le camion de son père. « On fait des analyses en ce moment. Quand tu verras les résultats, tu me croiras. » L'homme est très calme. Jamais il n'élève la voix. Il a les cheveux bien peignés. Il pose une question, puis une autre. Il veut tout savoir des déplacements de son père. Combien de temps il s'en va. Quelles routes il emprunte. À qui il achète du bétail. Le garçon répond avec franchise, lui dit tout ce qu'il sait. Son père est dur, mais d'une honnêteté sans faille. Son père déteste l'IRA. Il dit souvent qu'ils n'arriveraient pas à organiser une beuverie dans une brasserie.

L'homme ne lui parle pas de l'émeute. Le garçon attend qu'il évoque Neil Murray. Mais il n'en dit rien. Ils savent déjà tout.

Ils prennent ses empreintes, le photographient, puis l'emmènent dans une cellule. Il n'y a là qu'un banc en bois avec une couverture et un oreiller sans taie, couvert de taches brunes. Le garçon les jette par terre. Il s'en passera.

Pas moyen de dormir. Lorsqu'il va aux toilettes, un soldat reste debout derrière lui pendant qu'il pisse. Il lui faut un temps fou pour y arriver.

Au matin, on l'emmène passer un nouvel interrogatoire dans une salle à l'étage. Deux hommes lui expliquent qu'ils sont enquêteurs. Derrière eux, le drapeau de l'Union Jack. Il est toujours en pyjama. Ils lui posent les mêmes questions que l'homme la nuit précédente. Ils montrent le même calme que l'autre, mais il voit que chez eux, cette placidité résulte de l'absence d'enthousiasme. Ils n'ont pas envie d'être là.

Les résultats des analyses tombent dans l'après-midi. Les chiens ont été affolés par l'odeur de créosote et non d'explosif. Un soldat lui apporte un jean, un pull vert, des baskets, et lui dit de les enfiler : il va être libéré, ainsi que son père. Il dit ça comme s'ils leur avaient fait perdre leur temps et gaspiller les ressources du gouvernement de Sa Majesté. Les vêtements sont beaucoup trop grands pour lui. Les baskets, répugnantes – l'intérieur est tellement crasseux qu'on le croirait enduit de beurre.

Il retrouve son père dans la cour. Celui-ci est en état de choc. Il passe le bras autour des épaules de son garçon. Sa main tremble. « C'est bien, mon fils », lui dit-il.

Cecil Cox les attend devant le portail. C'est leur plus proche voisin. Il a été prêtre, mais a abandonné l'Église pour cultiver la terre. Il fait partie de la RUC, comme réserviste à temps partiel. Le père du garçon dit souvent que Cecil Cox est un prêtre raté, un fermier presque raté, policier dans des forces de l'ordre ratées ; en revanche, c'est indiscutablement un bon voisin.

Son père se montre froid envers Cecil. Il refuse de parler avec quelqu'un de l'autre bord.

« C'est terrible, dit leur voisin. Je n'avais aucune idée qu'ils en avaient après vous.

— Ah, ouais, je suppose que tes amis ne font que leur travail.

— Je ne prends pas parti, tu le sais. J'essaie seulement de payer mes factures. Désolé, Conor, je ne savais pas.

— Ouais, tu l'as déjà dit. Et Maureen et Una ?

— Ça va. Elles sont chez Bridie.

— Tu nous emmènes là-bas alors ?

— Bridie a dit non. Elle leur a donné quelque chose pour dormir. Elles ont besoin de se reposer.

— Bridie ne veut pas qu'on croie qu'elle a pris parti.

— Tu peux venir chez nous. Gwen a préparé à manger. Viens donc te reposer.

— Mais putain, tu racontes n'importe quoi. C'est déjà assez emmerdant qu'on me voie dans ta voiture. Maintenant emmène-moi voir ma femme et ma fille. »

Bridie les accueille froidement. La mère du garçon le serre contre elle. Il appuie sa tête fort sur sa poitrine. Avec son père, elle est distante. Una est telle une bergère qui a perdu ses moutons.

Les soldats sont restés toute la nuit dans la maison. Tout du long, ils ont gardé leurs fusils braqués sur les visages de sa mère et d'Una. Ils ont tout saccagé. Arraché le plancher. Démoli les briques de la cheminée. Ils ont même arrêté le facteur ce matin pour lire leur courrier. Il y avait tout un bataillon de soldats dans le champ qui retournaient chaque brin d'herbe. Le garçon se demande si les pigeons sont toujours vivants.

12

LORSQUE JE ME LE REPRÉSENTE à nouveau, le garçon n'est plus un jeune adolescent. Allongé dans son lit, il regarde par la fenêtre un jardin étroit. Il a les cheveux longs, épars sur l'oreiller, porte d'épais favoris frisés.

À travers la vitre recouverte de buée, il distingue le contour des arbres.

Il habite dans une petite ville, pas très différente d'Enniskillen, mais suffisamment éloignée pour qu'il puisse vivre sa vie, être un homme indépendant – peut-être est-il à Newry.

C'est l'hiver, d'épaisses lignes nues brisent le bleu pastel du ciel pommelé.

Des traces brunes descendent du plafond jusqu'au sol. Le toit fuit tellement que, certaines nuits, il doit éloigner son lit du mur. Le papier au-dessus de la fenêtre s'est décollé, mais pas jusqu'en bas. Quand il a emménagé, le mur était sec, plat, tapissé de neuf. Il y a quelques semaines, une grosse bulle est apparue après une tempête, semblable à une vessie. Elle a mis deux jours avant d'éclater, ça s'est produit en pleine nuit, pendant qu'il dormait. Il s'est réveillé debout au pied de son lit. Il croyait qu'on lui avait jeté un seau d'eau sur la tête. Cela a ranimé d'autres souvenirs. Il a été soulagé en constatant que c'était seulement ce putain de papier peint.

Il doit avoir dans les vingt et un ans. Je pense qu'on est en 1980.

Sa chambre se trouve au deuxième étage d'une maison identique aux autres, sur Camlough Road, à trois kilomètres du centre de Newry.

Il est là depuis pratiquement un an.

Il s'est trouvé un bon boulot : équarisseur dans un abattoir.

Il a tenté l'université, mais ce n'était pas pour lui. Il voulait devenir ingénieur, seulement l'établissement où il avait suivi sa scolarité, à la campagne, ne l'avait pas préparé à la rigueur des calculs, à la physique. Dans sa tête, les équations se mélangeaient : il ne parvenait pas à passer de la théorie à la pratique, et les problèmes lui échappaient. Il n'a dit à personne qu'il avait abandonné, il a simplement trouvé un boulot dans le bâtiment. Finalement, il s'est fait virer de sa chambre d'étudiant, et en plus l'université a appelé sa mère.

Sa propriétaire s'appelle Mrs Donnelly. Elle a un léger accent de Dublin, il ne sait pas comment elle a fait pour atterrir là.

Il ne lui a pas parlé des fuites. Il ne souhaite pas la déranger, prétexte-t-il pour lui-même, mais en réalité, il ne veut pas lui donner une excuse pour mettre les pieds dans sa chambre. Et puis il serait dérangé par les ouvriers. Est-ce que c'est vraiment important, une fuite ? Il évite Mrs Donnelly autant qu'il peut. C'est une bonne âme, qui a grand besoin de faire la conversation. Elle loge au sous-sol. Chaque fois qu'il descend payer son loyer, elle insiste pour lui offrir une tasse de thé, puis elle s'assoit près de sa cheminée électrique à thermostat réglable sans rien lui dire. Ils finissent par regarder ensemble la BBC. Elle aime la série *Steptoe and Son*. Le vieux Steptoe se lave toujours dans l'évier de sa cuisine. Elle rigole quand la scène se produit. Il y a des cas désespérés, dit-elle. Elle n'est guère plus âgée que sa mère à lui. Il n'aimerait pas que celle-ci vive comme Mrs Donnelly, scotchée devant sa télévision sans rien à dire.

Chaque matin, il parcourt à vélo les huit kilomètres pour se rendre au travail. Il aime ce mode de transport, même en hiver, même sous la pluie. Il remercie les champs environnants pour cette sensation d'espace qu'ils lui procurent. De la ferme de Fermanagh, seules deux choses lui manquent : les champs et le feu dans la cheminée.

L'abattoir est un bâtiment massif construit à la fin des années 1950, tout en dalles et murs de béton. Il a été pistonné pour y entrer. Son père livre du bétail à l'abattoir d'Enniskillen, et il connaît quelqu'un qui connaît Mr McCarthy, le directeur. Il est de loin le plus jeune équarisseur. Au début les autres ne l'aimaient pas – la rumeur voulait qu'il ait eu la place grâce à ses relations avec l'IRA. Qu'ils se trompaient ! En réalité, il l'a obtenue car quelqu'un a eu pitié de son père. Quelques années plus tôt, celui-ci avait fait un chèque sans provision à un gars de l'IRA – il n'a jamais été très regardant avec ses livres de comptes – et en guise de réparation, l'IRA lui a pris la moitié de son troupeau. Ça l'a cassé, lui a ôté tout plaisir d'élever du bétail. Son père ne l'a jamais dit, mais la vraie raison de ces représailles, c'était l'engagement de Joe dans l'armée. Sa mère a supplié Joe de revenir, de tout abandonner. Et il l'aurait bien fait, mais ils n'avaient pas assez d'argent pour compenser la rupture de contrat. Pendant deux ans, la maison a ressemblé à une morgue. Son père ne quittait plus guère son lit. Les rideaux dans sa chambre étaient toujours tirés ; plus aucun visiteur ne venait. Son père a fini par remonter dans son camion pour faire la tournée des marchés, en boitant, les traits flasques, en état d'ébriété.

Les autres équarisseurs sont chauves et leurs pouces sont réduits à l'état de moignons. Cela ne les empêche pas de découper une carcasse, mais ils doivent demander de l'aide pour lacer leurs chaussures en quittant le vestiaire avant de rentrer chez eux. Ils prennent une douche après avoir fini leur journée. Au bout de dix minutes, il n'y a plus d'eau chaude. Elle est toujours tiède lorsque vient son tour. Il apporte son propre savon mais ça ne fait aucune différence : impossible d'effacer l'odeur du sang.

Il aime travailler. Il n'a jamais rechigné à accomplir une dure besogne, leçon que lui a apprise son père. Il aime la routine, ce sentiment d'être vidé quand il se couche le soir dans son lit. N'empêche, il ne fera pas ça toute sa vie. Déjà, ses mains sont quadrillées de cicatrices, et ses articulations si gonflées qu'il ne peut replier les doigts sans serrer le poing. Il ne sera pas de ces hommes-là. Il ne se laissera pas briser comme son père. Le secret de la vie, c'est d'avoir un emploi dans un bureau. Son plan, pour l'instant, c'est de trouver une fille qui comprenne comment marche le monde et qui ait à cœur ses intérêts à lui.

Il a droit à une pause de dix minutes toutes les heures et demie, le temps que les apprentis ratissent le sol avec des lattes de caoutchouc pour évacuer le sang résiduel dans des trous de dix centimètres de diamètre. Ensuite, tout s'écoule dans des tonneaux au sous-sol, dans lesquels on rajoute des conservateurs avant de tout envoyer à la conserverie où on met ça en boîtes. Ici, rien n'est perdu, hormis la vie. Les têtes et les pattes des bestiaux sont transformées en colle, les cornes découpées pour faire des peignes ou des boutons. Les os calcinés servent à blanchir le sucre. Les articulations et les nerfs sont concassés et transformés en gélatine, cirage ou cordes de violon.

Le samedi midi, il fait la queue pour recevoir l'enveloppe qui contient son salaire. Ils prennent tous soin de se doucher avant de venir la chercher. Ça n'aurait aucun sens de laisser une enveloppe pleine d'argent dans les vestiaires. En lui remettant sa paye, McCarthy lui demande si tout va bien. Il hoche la tête – « Ouais, ça va. »

Il touche soixante livres par semaine. Il en donne vingt à Mrs Donnelly, en envoie vingt chez lui, en met dix de côté et en garde dix pour lui.

Le samedi après-midi, il se rend au bureau de poste et vérifie son compte épargne, il aime voir le montant grimper petit à petit, régulièrement. Il ne possède pas grand-chose, mais le chiffre qui apparaît devant lui est à lui et à lui seul. Avoir de l'argent à la banque, c'est la liberté, l'indépendance. Quand on en a assez, on peut mener la vie qu'on veut.

Chaque heure, environ quatre cent cinquante bovins sont abattus dans les pièges de tuerie. Il a deux minutes pour en saigner quinze. Ils se balancent autour de lui toute la journée, suspendus à des crochets par les pattes arrière, leurs cous se tordant à la hauteur de ses épaules. Son habileté avec un couteau est évidente, même aux yeux des visiteurs occasionnels qu'on voit parfois dans la galerie d'observation, là-haut.

Les animaux agitent mollement leurs pattes avant, comme pour essayer de toucher le sol en contrebas, hors d'atteinte. Leurs yeux tournent dans leurs orbites, ils sont désorientés après avoir reçu un coup de pistolet d'abattage en pleine tête. Après, ils s'effondrent sur le ventre, on relève les barrières latérales et on les attache par les pattes arrière. Sous les poutres du toit, les ouvriers mettent en marche les palans, ils courent de long en large sur les passerelles, courbés en deux pendant si longtemps qu'ils finissent par perdre la capacité à lever les bras au-dessus des épaules. Parfois, un bovin n'a pas été assommé correctement et retrouve ses esprits avant qu'on ait eu le temps de l'attacher par les pattes, alors, pris de panique, il se met à courir en tous sens à travers le vaste espace, ses mugissements résonnant sur les surfaces métalliques. Dans ces moments-là, l'animal reprend temporairement la maîtrise de la chaîne d'abattage. Les ouvriers courent se mettre en sécurité le long des murs, d'où ils observent ensuite dans un silence respectueux la bête qui se jette contre les barrières, les colonnes, donne des coups de tête dans l'immense portail d'acier, se rebellant contre le destin et contre son environnement, la vigueur de ses protestations égalant l'injustice à laquelle on la soumet. Les ouvriers s'accroupissent contre les parpaings, reconnaissants pour cette pause inattendue, et ils regardent Mr McCarthy sortir de son bureau, là-haut. Ils savent qu'aujourd'hui l'un d'eux va perdre sa place, et ils attendent que l'animal tombe d'épuisement en grognant de son souffle rauque, les regardant tous comme des ennemis, et à ce moment-là on jette une chaîne autour de son cou, on l'attache par terre, et l'ouvrier condamné par son erreur s'approche avec une masse pour achever le travail.

Si tout se passe tel que prévu, la physiologie des bovins correspond aux procédures régulières de l'abattoir. Les animaux se balancent en hauteur, lui s'avance et leur tranche la gorge d'un geste net, l'entaille ne devenant visible que quand le sang se met vraiment à couler, à tracer des ruisselets, tandis qu'il s'éloigne le long de la chaîne.

Dans sa chambre, il y a un lit, une armoire, un bureau, tout est blanc et solide. Son matelas est creusé au milieu, le crin de cheval en sort par touffes. Au toucher, on dirait de la laine d'acier, mais c'est d'un noir de jais, et s'il le serre dans sa main, le crin reprend ensuite sa forme. Dans le coin, il y a une plaque de cuisson à deux foyers. Dessous, une étagère avec une casserole, une poêle, un bol, une assiette, une fourchette, un couteau et d'autres ustensiles. À côté, un petit réfrigérateur. Pour l'eau, il doit se rendre à la salle de bains commune attenante. Il déteste ça, aussi une fois par semaine, il remplit quelques grandes bouteilles de 7-Up qu'il range dans son frigo. Il ne cuisine jamais. Il mange à la cantine, au travail. Le dimanche, il va se chercher de la morue panée au *fish-and-chip* du coin. Un bon repas par jour, ça lui suffit.

Il rentre du travail à vélo, dans l'appréhension de la trop longue soirée vide qui l'attend dans la nuit. Trop humide pour aller se promener ou assister aux courses de lévriers. Il va au cinéma, mais en général il est trempé en arrivant et passe la séance à macérer dans son jus. La condensation monte de tous les sièges, se mêle à la fumée de cigarettes, si bien que l'image, de même que tout le reste dans cette ville, paraît embuée. Le samedi soir, il va boire avec ses collègues. Il passe ensuite le dimanche à cuver jusque tard dans l'après-midi. Un jour, il s'est réveillé avec des maux de tête si violents qu'il s'est traîné dans la salle de bains pour voir s'il n'y avait pas des médicaments. Tout ce qu'il a trouvé, c'étaient des somnifères. Il en a pris deux et, le lundi, il s'est réveillé en retard pour le boulot. Toute la journée, il s'est senti mal, un peu à côté de la plaque.

Il y a deux autres locataires à son étage, ils se croisent de temps en temps dans l'escalier. Mrs Donnelly ne dit pas grand-chose à leur propos. Tout ce qu'il sait, c'est que l'un est de Glasgow et l'autre de Sligo. Ils travaillent tous les deux à l'usine d'aliments pour animaux. Il trouve leurs poils dans la baignoire. Les uns sont noirs et bouclés, les autres blonds. Ils se servent en papier toilette comme si c'était la fin du monde, aussi garde-t-il le sien dans sa chambre. Il ne se lave jamais dans la salle de bains, même pas les dents. Il crache le dentifrice par la fenêtre et se rince la bouche avec l'eau des bouteilles de 7-Up. Un couple vit au-dessus. D'après ce qu'il a compris, ils ont tout l'étage pour eux. Leurs horaires de travail sont particuliers, par conséquent il ne les voit jamais, mais il les entend parfois faire ça la nuit, ou le dimanche matin.

Il est encore puceau, un secret bien gardé. Les femmes le regardent, mais il est trop renfermé pour s'autoriser à les approcher. Il ne sait pas pourquoi : les autres gars y arrivent, eux. Avant de venir ici, il n'avait jamais entendu des gens faire l'amour. La première fois qu'il a été réveillé par le bruit du lit qui tapait contre le mur, là-haut, il a cru qu'on frappait à la porte d'entrée. Puis les gémissements ont suivi, et il a compris. Ça l'a perturbé, cette espèce de sauvagerie à laquelle il ne s'attendait pas. Il n'a jamais pensé que le sexe pouvait être si cru. Il s'imaginait que c'était étouffé, contenu, secret, ainsi que tout ce qui est interdit. L'homme pousse des grognements irréguliers, mais la femme hurle comme une folle. Il a entendu un jour, sans doute dans un sermon, que le sexe était une puissance. Pour lui, cela signifiait que l'homme exerçait son pouvoir, mais à présent il pense autrement. Quand il est dans son lit, à regarder les taches de couleur sur la vitre en écoutant cette femme, c'est une puissance libérée qu'il entend. Au début, il était certain que Mrs Donnelly ne l'entendait pas dans son sous-sol, mais à présent il est revenu là-dessus. Après tout, elle aussi est partie de chez elle pour de bonnes raisons, laissant derrière elle des choses, des pensées, des croyances. Il se demande s'il y arrivera, le jour J – si ce jour vient. Il doit admettre que tout ça lui fait un peu peur. En tout cas, c'est ce qu'il dirait s'il avait quelqu'un avec qui en parler.

La chance se présente sans prévenir. Dix ouvriers de l'abattoir vont voir un match à Belfast. L'équipe de Cliftonville dispute une rencontre amicale avec les Shamrock Rovers. Ils logent à Ardoyne chez le cousin de l'un d'entre eux – ils doivent dormir par terre. Personne n'emmène de duvet ni même de vêtements de rechange : ils ne veulent pas qu'on les voie transporter des affaires, ils ne veulent pas avoir l'air de bouseux.

Ils pensaient que Newry était glauque, mais Belfast est bien pire. On dirait une prison. Ils ont l'habitude de voir des Saracen, ces engins militaires qui transportent les soldats, ils en croisent souvent en patrouille. Mais ici, il y en a à tous les coins de rue, blindés et râblés comme des rhinocéros, avec des paires d'yeux qui les surveillent depuis l'intérieur. Partout, des tours de guet dégoulinant de barbelés. Dans presque chaque rue, une maison effondrée. Des carcasses noires de voitures brûlées jonchent les rues, pareilles à des détritus. Et partout, cette odeur de soufre qui rend l'air âcre et donne un goût dans la bouche. Tout est net, aigu. Rien n'est accidentel, remâché, laissé au hasard. Même les chiens font attention où ils mettent les pattes dans la rue.

Les gamins d'Ardoyne les observent d'un air soupçonneux. Ils sont à peine sortis de l'enfance mais n'hésitent pas à interroger les nouveaux venus. *D'où c'est que vous venez ? Qu'est-ce que vous foutez par ici ? Eh, t'as pas une clope ?*

Cliftonville se fait massacrer, mais ça ne change pas grand-chose car ils en sont déjà à cinq pintes quand l'arbitre siffle la fin du match. En sortant du stade, ils suivent le flot des supporters et arrivent dans une espèce de club au coin de la rue où ils crèchent. C'est plein à craquer, un vrai refuge. Plancher nu, tabourets de bar, alcool sur les étagères, riches teintes ambrées. Volutes de fumée. Une pinte en échange du ticket d'entrée. Maçons, livreurs, électriciens, mécanos, épiciers, coiffeuses, femmes de ménage, dames de cantine, sequins et talons aiguilles, sacs sur les genoux, chemises à carreaux, maillots de foot, bottes crasseuses et sweats à capuche. On joue de la musique dans un coin, quelques types avec des flûtes, des banjos et des accordéons, affublés de pulls en laine d'Aran, suant comme des bonnes sœurs dans un bordel. Ils sont tous si assoiffés qu'ils en ont la fringale. Lui n'est pas encore ivre. Il a déjà bu quelques verres et payé sa tournée assez tôt. Il se fraie un chemin vers les pissotières, au fond, s'écarte pour laisser passer un skin qui transporte trois pintes bien remplies. Il ouvre la porte des toilettes et la découvre devant le lavabo, qui se remet du mascara. Elle porte une robe verte, ses cheveux forment des anglaises attachées au sommet de la tête, qui lui retombent sur les épaules. Elle se tient très droite, les jambes collées l'une contre l'autre, ses talons aiguilles donnant à ses mollets une très jolie forme. Elle se penche vers le miroir, pinceau de mascara dans la main, le petit doigt relevé.

Elle se tourne vers lui, puis vers le miroir, le regarde à nouveau, passe un doigt sur sa paupière, revient encore vers lui.

« Alors ? » dit-elle.

Est-ce qu'il la connaît ? Il observe son visage. Plat, de larges pommettes, des lèvres pleines, des prunelles marron foncé. Ses traits sont presque trop grands pour sa figure, mais sereins, calmes, déterminés.

Elle demande à nouveau : « Est-ce. Que. Ça. Coule ? » Elle détache les mots : visiblement elle le prend pour un idiot.

« Oh, répond-il. Non, non, ça va. Tu es bien.

— Bien ? Tu sais faire des compliments, toi. »

Elle se retourne vers le miroir.

« Cet éclairage, c'est vraiment de la merde. Tu m'étonnes que les hommes se maquillent pas. »

Il est donc dans les toilettes pour hommes. Il allait lui poser la question.

« Sinon, la lumière serait meilleure », ajoute-t-elle.

Elle lui lance un regard en coin tout en sortant son rouge à lèvres. « Tu devrais essayer, tiens. Ça ferait ressortir tes jolies pommettes. »

Elle a un accent chic, en adéquation avec ses traits. Tant qu'elle est là, il ne peut rien faire. Il s'appuie contre l'autre lavabo, la regarde appliquer le rouge à lèvres. Serrer les lèvres l'une contre l'autre, vérifier qu'elle n'en a pas sur les dents.

« Et donc, qu'est-ce que tu fais, toi ?

— Je tranche des gorges. »

Elle range son rouge à lèvres. Le regarde à nouveau en relevant les sourcils.

« Tu ne dois pas manquer de boulot par ici. On s'est jamais vus, hein ? »

Il perd son assurance, cesse de faire semblant. « Je suis venu pour le match. On dort pas loin d'ici, avec les copains.

— T'es pas une taupe, hein ?

— Faudrait un sacré courage pour ça. J'arriverais pas jusqu'au bar.

— Pas faux. Ils te serviraient avec les sandwichs au jambon le lendemain midi.

— Je travaille à l'usine de viande de Newry.

— Ben dis donc, dit-elle en souriant de son formalisme. Un assassin silencieux. J'imagine que ces pauvres bêtes ne voient jamais le coup arriver. Il faudra que j'aie l'œil sur toi, alors », murmure-t-elle.

Elle se regarde une dernière fois dans le miroir. Il est pétrifié, ne sait plus quoi faire.

« Comment tu t'appelles ?

— Brendan.

— OK, Brendan, on y va.

— Où ça ? » Il s'interroge.

Il pousse la porte, s'écarte pour la laisser passer.

« Non, toi d'abord », dit-elle.

Il se dirige vers le bar.

« Attends, fait-elle sèchement. Prends-moi la main. »

Il obéit. Elle se penche vers lui, lui murmure quelque chose à l'oreille : « Emmène-moi hors d'ici. »

Ils traversent le couloir, reviennent au bar. Il marche vite, poussé par ses nerfs – il ne sait pas très bien ce qu'il devra faire une fois dehors.

Un type leur barre la route. Chemise à carreaux. Col remonté sur son cou épais. Blouson de cuir. Les cheveux autour des oreilles. « Donc c'est ça, pense-t-il, elle a besoin d'un garde du corps. »

« Où c'est que tu crois que tu vas comme ça, ma jolie ?

— Il me ramène chez moi », répond-elle.

Ses collègues de l'abattoir sont installés à une table près de la porte. Brendan redresse le menton et tous se lèvent aussitôt.

« Mon cul », répond Blouson de Cuir.

Brendan le jauge, pour gagner du temps. Blouson de Cuir se jette sur lui, mais les gars sont déjà là, et ils emmènent ce connard faire un tour aux chiottes. Parade agitée : la moitié du bar veut participer.

Dehors, la rue est luisante de pluie. Les conversations tonitruantes à l'intérieur se réduisent à un bourdonnement. Un parapluie noir avance en ondulant dans la lumière des lampadaires ; les voitures qui passent soulèvent des gerbes d'eau, inondant la chaussée. Ils parcourent dix rues avant de trouver une station de taxis. Leurs vestes sont restées au pub. La pluie a eu raison des anglaises de la jeune femme. Elle se penche à la fenêtre du chauffeur et indique qu'elle va au Royal Vic Hospital. Celui-ci hoche la tête, elle monte à l'arrière et referme la portière. Son corps dégouline telle une grosse goutte en suspens. Elle baisse la vitre.

« Tu es gentil pour un assassin, dit-elle en lui souriant.

— Comment tu t'appelles ? demande-t-il.

— Rentre directement chez toi, maintenant. Ne traîne pas tout seul dans les rues. »

Il prend son lundi pour rester en ville, demande aux gars d'inventer un truc pour le boulot. Ils l'engueulent comme du poisson pourri, mais il s'en fiche : il a besoin de la revoir. Il prend une chambre dans un B & B près de Queens University. Ça pue le crottin de cheval et il n'arrive pas à fermer l'œil, trop d'interférences dans l'air, trop de bruit dans la nuit.

La propriétaire a plein de questions à lui poser, qu'il esquive poliment pour la plupart, expérimenté qu'il est grâce à Mrs Donnelly. Il lui dit qu'il est du comté de Fermanagh. Elle énumère une liste de gens d'Enniskillen et baisse la garde lorsqu'elle est certaine qu'il est réellement de là-bas. Elle s'étonne qu'il n'ait pas de bagages. Il répond qu'on les lui a volés dans le train de Newry.

« Il ne faut pas laisser vos affaires sans surveillance. Vous n'êtes plus à la campagne, vous savez.

— Ouais », dit-il, habitué à jouer les idiots.

Il attend devant le Royal Vic. Assis sur un banc avec un livre. L'après-midi vire au soir. Il a volé des béquilles dans un couloir pour que les gens ne fassent pas attention à lui. Il regarde défiler les malades. Ils ont des airs de chiens battus, le mouvement lourd, intermittent. Les médecins marchent seuls, bien droits, affairés, ils portent des lunettes. Les infirmières circulent en groupes. Uniformes bleus, talons plats. Aucune chance de la voir seule. Il n'a pas de stratégie, ne sait pas quoi lui dire. Et puis au bout du compte, ça n'a plus d'importance. Elle est là, sortant de nulle part. Il lève les yeux et elle lui demande ce qu'il lit. Il lui tend le livre, comme s'il avait été surpris en train de tricher en classe. Un thriller de Dick Francis qu'il a pris sur une pile chez un vendeur de journaux. Des actes criminels sur un champ de courses.

« Les chevaux, dit-elle. Tu étends ton expertise ? Il paraît que ça fait de bons hamburgers. »

Elle porte une tunique aux épaulettes rouges. Une petite montre se balance tout en haut de sa poitrine sous un badge argenté : SARAH C. HADLEY. Un nom protestant. Son respect pour elle augmente d'un coup. Il n'y a pas beaucoup de protestantes qui oseraient se rendre dans un pub à Ardoyne. Il se demande ce que signifie l'initiale du milieu. Catherine, peut-être. Elle a une tache de naissance dans le cou, couleur aubergine.

Elle lui rend le livre. À son expression, il comprend qu'elle ne veut pas être contaminée par pareille débilité. Est-ce qu'elle est belle ? Là, maintenant ? Dans la lumière naturelle déclinante ? Il n'arrive pas à le savoir. Ne sait pas ce qu'il pense.

« Où as-tu trouvé ces béquilles ? »

Il avait oublié. Il cherche une réponse : peut-être qu'il devrait lui dire qu'il a mal à une jambe. Mais elle est infirmière, elle saurait tout de suite. Il hausse les épaules.

« Va les remettre à leur place.

— Je les ai seulement empruntées. Tu vois.

— Je comprends. Va les remettre en place, maintenant. »

Il remonte les marches, les laisse dans le couloir en prenant garde à ce que personne ne le voie.

Elle est encore là lorsqu'il ressort. Il s'approche, et elle lui adresse un signe de tête comme on indique à son chien que c'est l'heure de la promenade. Il la suit jusqu'à un marché. La rue est pleine de monde, il doit rester à quelques pas derrière elle. Le marché est à moitié dehors, à moitié dedans. Une fois à l'intérieur, il sent les odeurs prisonnières. Poissons et épices. Les commerçants rangent pour la nuit, transportant des boîtes dans des fourgonnettes blanches. Des types de son âge essuient des étals métalliques. Dans les allées, de petits tas de journaux mouillés. Des chiens errants lèchent le ciment.

Son uniforme gomme sa silhouette. Ses cheveux sont attachés en un chignon lâche. Elle avance, légère, dans ses chaussures souples. Elle donne de l'argent à un homme appuyé contre une fourgonnette, puis fait signe à Brendan de venir. Il attrape une caisse à l'intérieur du véhicule : elle est pleine de légumes en vrac et de viande emballée dans du papier de boucherie. Il traverse la rue à sa suite. La caisse est si lourde qu'il se demande comment elle fait d'habitude, toute seule. Elle ouvre une grande porte bleue dans un bâtiment institutionnel qui fait sans doute partie de l'hôpital. Un homme assis dans une guérite en verre lit le journal. « Livraison », dit-elle. L'autre ne lève même pas les yeux. Ils grimpent trois étages. Les escaliers sont massifs, comme ceux qu'on voit dans les séries policières à la télé. Au troisième, ils suivent un couloir. La plupart des portes sont ouvertes. Dans chaque pièce, un lit. Des femmes guères plus âgées que lui vont et viennent, en robe de chambre et bigoudis. Elles discutent ensemble dans leurs chambres, fument, le regardent passer. C'est seulement en arrivant à la cuisine commune, lorsqu'elle commence à tout ranger dans le frigo, dans un compartiment à son nom, qu'il comprend qu'elle habite là.

« La femme d'Abraham », dit-il.

Elle s'interrompt. Il a l'impression d'être une case qu'elle doit cocher sur une liste.

« Qui ça ? demande-t-elle.

— Sarah, c'est la femme d'Abraham. Dans la Bible. »

Elle sort la viande et la range dans un grand réfrigérateur divisé en quatre compartiments métalliques. « Je l'ai pas lu. Paraît que c'est un best-seller. »

Elle prépare du thé, verse du lait dans son mug sans lui demander s'il en veut. Ne lui propose pas de sucre. Elle se cale contre le dossier de sa chaise et pose les pieds sur une autre, serrant son mug entre ses mains pour profiter de la chaleur. Elle le soumet au feu roulant de ses questions. Elle n'a pas besoin de longues réponses, juste des détails personnels. Il a l'impression de remplir un questionnaire de police. Au bout d'un moment, elle se lève et repart dans le couloir. Il met un moment à comprendre qu'il doit la suivre. Soit elle est trop fatiguée pour lui faire signe, soit il n'en vaut pas la peine. Dans un cas comme dans l'autre, ce n'est pas bon signe.

Il ne sait pas quelle est sa chambre. Il n'y a pas de noms sur les portes.

Il s'arrête devant l'une d'elles, ouverte. Deux femmes vêtues de cardigans fument, assises sur le lit. L'une d'elles tient un cendrier de métal.

« Je cherche Sarah.
— Et vous êtes ? demande celle qui tient le cendrier.
— Je l'ai aidée à porter ses courses.
— Ça m'étonne pas. »
L'autre ricane, de la fumée sort de son nez.
« Sarah ! Ton livreur veut être payé ! »
Ils attendent. Pas de réponse. Elles le regardent. Pour la première fois, il prend conscience de la façon dont il est habillé. Un pantalon, un pull, un vieil imperméable.
« Numéro vingt-sept. »
S'il avait été plus présentable, elle ne le lui aurait pas dit, pense-t-il.
Sarah Hadley est allongée sur son lit, chaussures aux pieds. Elle regarde par la fenêtre. Elle a détaché ses cheveux, lustrés dans la lumière de la lampe, avec des tons de miel et de brun doux. Elle ne réagit pas. Il s'assoit sur le lit, pas trop près d'elle.
« Je voulais juste m'assurer que tout va bien.
— Maintenant, tu le sais. »
Il lui en faut davantage, un compliment. Il sait ce qu'il devrait dire, connaît les répliques que ses collègues utilisent. Mais elles ne réussissent pas à franchir ses lèvres. Elles lui paraissent plates, pas naturelles. « J'ai attendu depuis le déjeuner », dit-il. Un léger sourire s'esquisse.
« Combien de temps tu aurais encore patienté ? »
Il réfléchit. « Bah, je n'en étais qu'à la page cinquante. »
Il voit ses lèvres bouger à nouveau. Elle fixe le plafond, ne le regarde pas. « Un assassin patient », dit-elle.
Il s'allonge près d'elle. Elle ne l'accueille ni ne le repousse.
La pièce, il s'en aperçoit maintenant, est pleine de meubles de bonne qualité. Le lit possède des ornements de cuivre. La commode et l'armoire sont d'un beau bois sombre. Dans le coin, une pile de cartons monte jusqu'au plafond. Des vêtements jonchent le sol. Légère odeur de parfum et de renfermé. Un soutien-gorge en dentelle blanche est accroché au robinet de l'évier. Il n'en a jamais vu ainsi négligemment posé. Sa mère et Una ont toujours été très prudes avec leurs affaires. Ça a une forme étrange, des bonnets avec des armatures.

Ils restent ainsi allongés un moment, puis elle fait tomber ses chaussures et s'approche de lui, pose la tête sur son épaule. Son cœur bat plus fort. À ce qu'on raconte, les infirmières n'ont pas d'inhibitions en matière de sexe. Elles passent leurs journées à s'occuper des nécessités du corps, et rien n'est impossible pour elles. Il ne peut lui avouer qu'il n'a aucune expérience alors qu'elle en a tant.

Elle lui prend la main et l'examine. Celle-ci est calleuse, elle s'est durcie depuis un an. Il n'a pas honte de ses mains de travailleur. Elle la sent, respire son odeur.

Puis elle plonge l'autre main dans son pantalon, geste simple, la routine, pour voir si tout est en place. Ils ne se sont même pas encore embrassés. Elle le saisit, le tient, l'attend. Il durcit. Soudain, elle se lève, va jusqu'au lavabo, asperge d'eau son visage, puis se déshabille. Sans cérémonie.

La voilà nue. Une main posée sur le bord du lavabo, l'autre ôtant son collant. La voilà. Bien réelle, vivante dans la lumière de la lampe.

Seins libérés, détachés ; la lumière l'éclaire sous différents angles. Elle passe la main devant son corps comme si elle vendait quelque chose au marché. Voilà la marchandise.

« Ça y est » – c'est tout ce qu'il est capable de se dire. Il est à la lisière d'un moment de légende, sujet de mille allusions quotidiennes, à l'école, au travail, au pub. Elle s'assoit près de lui, prononce quelques mots. Il ne comprend pas. Elle lui sourit de nouveau, secoue la tête, ouvre un tiroir et lui tend un préservatif. Une capote anglaise, un cache-antenne, un condom.

Pendant tout le temps, il se regarde d'en haut, observe ses mouvements. Il réfléchit à ce qui est en train de se passer au moment même où ça se passe. Il a l'impression de se voir à la télé. Il s'accroche à sa peau à elle pour s'assurer que c'est vraiment lui et pas un autre.

À la fin, elle s'adoucit. Il ne sait pas si c'est par empathie ou parce que ça lui a plu. Elle est couchée sur le côté, face à lui, essuie la sueur sur son front. Est-ce qu'ils ont fait du bruit ? Est-ce qu'on les a entendus ? Il pose la tête sur l'oreiller et elle la remet sur son épaule. Son cœur cogne. Elle attrape la capote, la noue et la lance dans le lavabo. Elle atterrit avec un *pof.* Elle s'essuie la main sur sa poitrine à lui en passant les doigts dans ses poils.

« Est-ce que tous les hommes de Fermanagh sont aussi poilus ?

— Seulement les catholiques. »

Elle sourit. « Tu crois que les nôtres se rasent partout ?

— Ils essaient d'être des gentlemen, non ? »

Elle ricane. « Ouais. C'est vrai. Des gentlemen. »

Le week-end suivant, il est de retour. Il l'emmène au cinéma Strand. Il achète des places pour voir un film français sous-titré. Il ne comprend pas l'histoire. Des gens qui entrent et sortent de différentes pièces, la caméra qui a la bougeotte. Des gens qui parlent, se querellent, baisent. Long plan séquence d'enfants dans un train au printemps. Il passe presque tout le film à essayer de savoir si ça lui plaît à elle. Il essaie de la regarder sans bouger la tête pour qu'elle ne s'en rende pas compte. Les couples autour d'eux sont des gens sophistiqués. Il est certain qu'elle a déjà vu un film sous-titré, mais peut-être pas avec un homme.

« Ça t'a plu ? demande-t-il une fois qu'ils sont installés devant un verre.

— Je sais pas. Oui, peut-être. »

Elle n'a pas envie de parler. Il y a tant de choses qu'il voudrait lui demander. Il pensait qu'elle lui expliquerait le film, lui ouvrirait les yeux sur le monde. La manière dont les femmes le voient. Quelles sont leurs pensées secrètes. Voilà des sujets dont il ne sait rien. Il ignore comment lui poser ces questions. Il s'attendait à ce qu'elle lui parle, il l'aurait écoutée. Il paraît que c'est ça que les femmes apprécient. Il est là pour apprendre, pour observer, comprendre.

Ils sirotent leur verre.

« Tu ne dis rien ce soir, déclare-t-il.

— Ah ?

— Ben oui.

— Peut-être que je suis toujours comme ça.

— Ce n'est pas vrai.

— Ah ?

— Non.

— Comment tu peux en être si sûr ? Tu ne me connais pas.

— Une protestante qui va boire un verre dans ce pub-là. Il faut avoir du cran.

— Avoir du cran ou être bête.

— La frontière entre les deux est floue.

— Tu n'as pas tort sur ce point.

— Tu as parlé à ce gars depuis ?

— Non. »

Il attend qu'elle ajoute quelque chose, mais elle se tait et finit son gin tonic. Puis elle glisse deux doigts dans le verre, attrape la rondelle de citron, la mange, et remet l'écorce dedans.

« Tu aimes manger le citron tout cru ?

— Une tranche, oui. J'aime le goût sur ma langue. »

Les autres filles entrent dans sa chambre comme dans un moulin, sans prendre la peine de frapper. Elles s'assoient sur le lit pour fumer et bavarder. Elles ne lancent pas la conversation, elles la poursuivent. Elles ne témoignent aucun intérêt pour Brendan, il n'a pas plus d'importance qu'un abat-jour. Sur la table de chevet, d'épais livres d'écrivains étrangers. Français, allemands, russes. Elle passe de la musique classique sur son électrophone. Ils font l'amour plus lentement. Elle lui apprend – elle pose sa main sur la sienne – que c'est mieux de prendre son temps. Elle jette un foulard sur la lampe pour lui faire comprendre qu'elle est prête. La chambre se drape d'une lumière rose. Il découvre un langage dont il ne connaissait pas l'existence.

Ils font des choses ordinaires. Elle attend chez le coiffeur pour homme tandis qu'il se fait couper les cheveux, se fichant éperdument des types assis à côté d'elle. Il l'accompagne à la poste. Ils jouent aux cartes, au 121.

Il la regarde s'habiller. Il aime la voir mettre sa culotte le matin. Ses draps sentent : elle les change rarement. Il aime l'observer manger, surtout lorsqu'elle n'y prête pas attention et fait aller et venir sa fourchette à travers son assiette. Voilà comment elle doit être en son absence. Dans la salle de bains, il constate qu'il y a des crèmes pour la journée et d'autres pour la nuit. Quand elle les lave, elle masse ses cheveux avec du blanc d'œuf. Elle embrasse les cicatrices sur les mains de Brendan. Lui montre ses accidents du travail à elle, une brûlure à l'avant-bras, une cicatrice au coude gauche.

Ses parents sont divorcés. Son père a une société de vente aux enchères spécialisée dans les meubles anciens. Elle dîne avec lui au restaurant une fois par mois, comme si c'était un rendez-vous d'affaires, ou entre amants. Comment en arrivent-ils à parler de tel ou tel sujet ? Les protestants appartiennent vraiment à une autre espèce. Elle l'invite à rencontrer son père. Il n'en a pas particulièrement envie, mais cette perspective est trop tentante pour qu'il résiste.

En chemin vers le restaurant, il s'achète une chemise chez Marks and Spencer. Il se rend aux toilettes pour l'enfiler, mais les plis sont visibles. Il est évident qu'elle vient juste d'être sortie de son emballage. Ils descendent Botanic Avenue. Tout est illuminé à l'approche de Noël, ce qui donne aux rues un air joyeux. La ville en a bien besoin, cela rappelle à quoi ressemble la paix. Il s'aperçoit qu'il est à deux pas du B & B où il avait pris une chambre. Il se propose d'y passer pour demander à sa logeuse de lui prêter son fer à repasser. Elle l'embrasse et lui dit de ne pas s'inquiéter, ce n'est qu'une chemise.

Ils arrivent, le père les attend au bar. Il évoque pour Brendan un prof d'histoire avec son pantalon en velours côtelé, ses cheveux ébouriffés et ses fines lunettes suspendues à une chaînette autour du cou, qui rebondissent sur sa poitrine lorsqu'il bouge.

Le père lui parle de mobilier. Au départ, Brendan pense qu'il essaie juste de nouer des liens avec un catholique en évoquant un sujet commun, le travail. Mais plus l'autre parle, plus le jeune homme comprend que c'est la passion qui s'exprime en lui. Il évoque Charles Rennie Mackintosh. C'est un architecte de Glasgow qui a conçu des chaises au haut dossier pour un salon de thé. Elles donnent la sensation d'être enveloppé, dit-il ; une hirondelle en vol est sculptée sur la partie où l'on appuie la tête. Il en parle de manière si détaillée que Brendan se les représente. Il aimerait se rendre dans ce salon de thé, s'il existe encore.

En sortant, le père de Sarah serre la main au jeune homme avec enthousiasme. Innocence amicale. Son existence est si différente de celle des gens d'Ardoyne – il faut avoir de l'argent pour être aussi bien dans sa vie.

Après cette rencontre, Brendan ne supporte plus de parler à ses parents au téléphone. Le temps. Les maladies. Les décès. Les notes d'Una. Les coups de fil sont pareils à des bulletins d'information. Joe est stationné à Chypre. Sa mère lui décrit les cartes postales qu'il envoie. Les bateaux dans le port. *Episkopi, Vallée heureuse.* « Vallée heureuse, tu m'étonnes, sale veinard. » Pourquoi est-ce que son père ne lui parle pas comme celui de Sarah ? Il lui demande comment vont les pigeons un soir, histoire de lui faire la conversation. Son père grogne et repasse le combiné à sa femme. Ils s'inquiètent toujours du prix des appels, ils ne veulent pas rester trop longtemps au bout du fil. Il leur sait gré de ces petits gestes.

L'année 1981 arrive, mort-née. À la fin janvier, le pays est paralysé par la peur. Les détenus républicains de la prison de Maze annoncent leur projet de grève de la faim pour qu'on leur accorde le statut de prisonniers politiques. L'heure des comptes arrive, tout le monde le sait. À moins que Thatcher lâche du lest, les détenus refuseront de s'alimenter à partir du 1er mars. Il descend chez Mrs Donnelly pour regarder le journal télévisé. Bobby Sands, le chef de l'IRA à Maze, sera le premier à se lancer ; d'autres se joindront à lui toutes les deux semaines, jusqu'à ce qu'ils meurent ou que leurs demandes soient acceptées. La mort par privation volontaire de nourriture. Cette vérité brute ne laisse la place à aucune ambiguïté. C'est une perspective terrifiante que de vouloir s'anéantir soi-même au nom de ses croyances.

Même ceux qui présentent les nouvelles semblent à bout à force de tension. Lors des interviews, au Parlement, Thatcher a l'air parfaitement indifférente. La vie d'un républicain n'est pas une vraie vie à ses yeux. Ils ne sont pas faits de chair et de sang, ce sont des cases sur la roulette. Rouge ou noir, vie ou mort. *Nous ne négocions pas avec des terroristes* – quelle voix pleine de morgue et de rigidité, et cette exaspération constante, comme si les prisonniers étaient des enfants qui refusent de bien se tenir.

Suicide, selon son lexique à elle. Elle n'est pas capable de comprendre ce que sont le courage, le désespoir, la pureté d'un choix que l'on fait quand toutes les autres options ont été épuisées. Les journalistes ne cessent d'invoquer l'affrontement des volontés, une mise à l'épreuve de la résolution de chacune des parties, phrases qui le révulsent. Il n'y a aucun courage à être assise dans un bâtiment public et à boire son thé en écoutant des déclarations. Est-ce qu'elle a pensé à tout ça au déjeuner ? Cela lui a-t-il ne serait-ce qu'une seule fois coupé l'appétit ? A-t-elle contemplé son dîner en éprouvant de la gratitude pour l'abondance dans laquelle elle vit ?

Les tensions à Maze s'insinuent à travers toute la province jusque dans les moindres failles. La nuit ont lieu des émeutes. Vendeuses et employés de la poste ont l'air sombre, le moral plombé. Les gens ne se regardent plus. Personne ne parle plus du temps qu'il fait. Brendan participe à une manifestation, un week-end où il rend visite à Sarah. Des milliers de personnes contournent la tour de Divis Flats sous une pluie battante. Il avance à côté de deux femmes environ du même âge que lui, vêtues de robes en coton trop fines. Il donne son manteau à l'une. Elles gloussent de gratitude. Il trouve ça stupide de sortir par cette pluie sans un bon manteau, et puis il baisse les yeux vers leurs sandales et comprend qu'elles n'ont peut-être pas les moyens de s'en acheter un. Il garde un œil sur elles, non parce qu'il veut récupérer son manteau, mais à cause de leur légèreté, de leur grâce, elles qui sautent par-dessus les nids-de-poule et les flaques d'eau. Elles ne sont pas rongées par la colère comme la plupart des gens qui les entourent. Il lui faut un moment pour comprendre qu'elles sont convaincues que les choses vont changer. Peut-être qu'elles ont raison. Des années de lutte pour en arriver là, quand tout se concentre si puissamment sur un point précis : le corps d'un homme qui se désintègre.

La RUC arrive en vitesse sur les lieux à bord de Land Rover blindées. Les flics passent si près des manifestants que certains doivent s'écarter d'un bond. La foule s'agite, avance par à-coups, d'un seul mouvement, et cela ne fait qu'amplifier le sentiment de solidarité.

Ils entendent un gémissement déchirant venant d'un des appartements, si fort, si précis qu'il supplante le vrombissement des moteurs et les chants de la foule. Une femme sort, en chaussons et robe de chambre. Il est assez proche pour distinguer ses traits. Maigre, les cheveux noirs marbrés d'argent jusqu'à la taille, elle ressemble à un corbeau. Elle crie à propos de son fils mort entre les mains de la police, d'un autre, tué d'une balle par un para. Elle prononce ces mots si lentement qu'ils acquièrent une musicalité, telle une psalmodie. C'est une pleureuse des temps anciens. Elle se met à vaciller, comme si elle allait s'évanouir. La foule s'arrête, écoute chaque mot. Un homme s'approche, essaie de l'emmener, sans doute embarrassé par cette émotion brute, mais elle résiste, reste plantée là, continue de gémir. Il est suffisamment près pour voir ses dents : chicots jaunis, sauf une, en bas.

La manifestation avance jusqu'à Andersonstown, maisons meublées à la peinture écaillée, propriété des entreprises. Rues étroites, chiens en liberté, gosses qui font claquer des couvercles de poubelle sur la chaussée, rythme tribal. Il aperçoit un morceau de viande cru sur le trottoir, un cœur violacé, un cœur de bœuf, le dîner d'une famille – ici on ne mange pas de steak. Le corps est l'instrument des cantiques inchantés.

Retour à Newry, il ne dort pas plus de deux heures par nuit. Assis dans son lit, il contemple ses mains et se représente Bobby Sands, ses cheveux ébouriffés sur ses épaules, assis dans une cellule sans fenêtre, contemplant ses mains. Il a entendu des visiteurs évoquer la paix étrange qui émane des prisonniers. La paix qui vient de la certitude de vivre pleinement en accord avec ses idées. De la détermination. Certains soirs – il ne le reconnaîtrait jamais devant une autre personne –, il envie ces hommes.

Régulièrement, il rêve d'Oliver Plunkett. Il voit son visage de cuir, cette grimace. Pendu, éviscéré, démembré. Il ne comprend pas la logique. Il fait des recherches. Cela signifie qu'ils l'ont pendu mais l'ont décroché avant qu'il soit mort, l'ont flanqué sur une table, lui ont arraché les entrailles, puis découpé les bras et les jambes. À nouveau, il se remémore la grimace d'Oliver Plunkett.

Il se met à lire des choses sérieuses. Il se rend à la bibliothèque le mardi soir, y choisit différents ouvrages qu'il lit en se couchant, ou tôt le matin à la table du petit déjeuner. Il veut comprendre, tenter de se mettre à la place des grévistes de la faim, il veut pénétrer à l'intérieur du système qui crée les inégalités, savoir comment le pouvoir se manifeste. Il lit Marx, il lit Engels, il lit Trotski.

Il s'achète un carnet bleu chez le marchand de journaux. Quand il ne comprend pas un mot, il le note pour le chercher plus tard dans le dictionnaire. Lorsqu'il tombe sur une phrase qui lui plaît, qui sonne juste, il l'écrit, la mémorise.

Marx : « La nécessité d'une expansion permanente du marché oblige la bourgeoisie à se disperser sur toute la surface du globe. Elle doit se nicher partout, établir des liens partout. »

Dans le journal, il trouve une annonce pour un emploi de manutentionnaire sur les docks de Warrenpoint. Horaires réguliers, bien mieux payé qu'à l'abattoir, et il passerait presque toute la journée assis. Pourquoi ne pas tenter sa chance – qu'a-t-il à perdre ?

Il n'a pas envie que Sarah vienne à Newry. Il sait que c'est source de débat parmi les infirmières. Au bout du compte, elle l'accuse d'avoir quelqu'une d'autre sur place. Cette simple idée le fait rire, il répond qu'il n'en aurait pas les moyens de toute façon. Ça ne fait pas rire Sarah.

Elle prend le train le week-end suivant pour lui rendre visite. Il l'invite à dîner dans un joli endroit pour préparer le terrain. Il est tard quand ils rentrent. La lumière de Mrs Donnelly est encore allumée. Il sait qu'il devra affronter ses questions demain matin. Sa logeuse va entendre deux personnes monter l'escalier. Il lutte contre l'envie de dire à Sarah de ne pas faire de bruit. Il songe même à lui demander d'enlever ses chaussures. Enfin, ils sont sur le palier. Elle a l'air nerveuse. Elle en sait si peu sur lui – il le comprend soudain. Il ouvre la porte de sa chambre et contemple sa vie du point de vue d'un étranger. Il voit ce que verrait un flic. Des murs blancs. Un lit. Son frigo. Son bureau et sa chaise. Un placard. C'est une cellule de moine. Pas de touche personnelle, pas d'affiche aux murs. C'est un espace en attente d'être rempli, ou abandonné.

Il est nerveux. Sa poitrine est comme dans un étau. Il la fait asseoir sur la chaise et verse deux verres de whiskey, il a acheté la bouteille pour l'occasion.

« Qu'est-ce que tu fais, ici ? demande-t-elle.

— Je lis. »

Elle lève les yeux au ciel. « Ces bouquins sur les chevaux ? »

Elle lui demande de lui montrer un élément auquel elle puisse croire, qui révèle sa vraie personnalité, il le sait. Elle a été suffisamment patiente.

« D'histoire, surtout. Je les prends à la bibliothèque. »

Elle joint ses mains sur le bureau.

Il sort un livre de sous son lit. C'est un ouvrage sur l'expédition de l'*Endurance* menée par Shackleton en Antarctique. Le navire fut pris dans les glaces. Ils campèrent sur la banquise pendant un an et demi. Il s'assoit au bout du lit et lui lit une lettre écrite par l'un des hommes à sa femme, qu'il ne put jamais lui envoyer.

Quand il a terminé, elle s'assoit à côté de lui et l'embrasse.

« Tu es un garçon étrange.

— Ah bon ?

— Oui. »

Elle regarde à nouveau autour d'elle.

« Tu n'as jamais amené de femme ici, hein ?

— Non.

— Tu aurais pu acheter des fleurs pour rendre l'endroit un peu plus attrayant.

— Je voulais que tu voies comment je vivais.

— Ah oui, je vois très bien. »

Elle se met à rire, une sorte de rire intérieur.

« Qu'est-ce qu'il y a de drôle ?

— Ce film. Je pensais que tu avais l'habitude d'emmener des femmes voir ça.

— Non. Je n'avais jamais amené une femme nulle part.

— Sacré choix !

— Je croyais que tu avais aimé.

— Mais putain, j'ai rien compris !

— Ah, d'accord. Moi non plus.

— Ça, je le sais, pauvre cloche. Tu as passé ton temps à me regarder. »

Il sourit. Inutile de nier.

« Pas terrible pour un assassin, hein ?

— Non. Sans doute que non. »

13

SARAH EST enceinte. Elle le lui annonce alors qu'ils regardent *Coronation Street*, seuls dans la salle commune du logement des infirmières. À la pause publicitaire, il se lève pour aller faire du thé. Il revient avec un plateau, elle a baissé le son de la télévision. Il devine aussitôt, avant même qu'elle ait prononcé un mot. Ce n'est pas seulement son comportement qui la trahit, il sent quelque chose en lui-même, quelque chose qui se construit, sentiment d'un point culminant, comme quand une vague arrive sur le rivage.

Il pose une main sur son ventre. L'autre sur sa joue. Elle sourit, verse une larme. Sa vie a du sens. Devenir père est un ancrage définitif : à présent il a des racines, il a acquis une position inexpugnable. Il place ses deux mains sur son ventre. Jamais il ne l'a connue aussi intensément, aussi clairement qu'en ce moment où son regard est si vivant. Son enfant aura ce regard, ces yeux. Il aura la vitalité de Sarah, une force beaucoup plus puissante que tout ce qu'il peut lui transmettre.

Il la demande en mariage. Elle dit *oui*. Elle dit *bien sûr*. Il lui raconte qu'il veut l'épouser sur White Island, sur le Lough Erne. Il y a une église du XIIe siècle avec une *sheela-na-gig* au mur. Il la lui décrit. C'est une petite sculpture, symbole de fertilité, de puissance, une femme chauve aux hanches si amples que ses genoux repliés font la même largeur que sa taille, son visage est barré d'un grand sourire. « J'imagine », répond Sarah. Il lui dit qu'il la voit arriver en bateau devant toute la congrégation, elle en descendra pour passer au milieu, telle une bénédiction.

Elle rit. Il répond qu'il est sérieux, qu'il aimerait créer un peu de beauté parmi toute cette tristesse. Elle lui caresse la joue, lui dit qu'il est un homme qui a des idées, mais que ce sont de bonnes idées.

Les grèves de la faim ont commencé. La tension est à son comble, comme une poussée de fièvre. Bobby Sands se présente aux élections depuis son lit de mort. La mère de Brendan lui raconte que son portrait souriant est accroché à tous les lampadaires de la ville. Il ne peut pas lui annoncer que Sarah est enceinte. Ils ne sont pas mariés. Il ne peut même pas lui parler de Sarah. Il est amoureux d'une presbytérienne – il n'arrive pas à trouver les mots au téléphone. La voix de sa mère a changé depuis quelques semaines : ses phrases sont pleines de vitriol. Cela ne le surprend pas : comment rester neutre quand un mourant vous sourit à chaque réverbère ?

Une lettre arrive par la poste. Il a décroché un entretien au port. Cet argent supplémentaire serait vraiment bienvenu à présent. Il téléphone à l'abattoir pour dire qu'il est malade et prend un taxi pour se rendre à Warrenpoint. En chemin, ils passent près de Narrow Water. Il reconnaît le donjon qu'il a vu dans les journaux – il y a deux ans, l'IRA a posé une bombe sur le passage d'un convoi. Il cherche des traces de l'explosion, mais l'herbe a repoussé partout. Le chauffeur s'aperçoit qu'il regarde par la vitre. « Ouais, dit-il, c'était bien là. » Il n'en dit pas plus, et Brendan ne pose aucune question.

L'entretien a lieu dans un préfabriqué sur les docks. Le contremaître s'appelle George, son ventre protubérant tend sa chemise à carreaux. Il y a des papiers partout, des notes affichées sur le mur, des piles de cartons en équilibre précaire contre les cloisons. Les questions sont standards et il voit que George est impressionné par son travail à l'abattoir, un travail dur, voilà un homme qui sait ce que faire son boulot veut dire.

Le téléphone sonne deux jours plus tard et il demande quarante-huit heures pour y réfléchir. Sarah est aux anges quand il lui apprend la nouvelle, le week-end. Ils décident qu'elle viendra à Newry ; elle connaît un des médecins de Daisy

Hill Hospital. Deux salaires corrects leur permettront de partir sur de bonnes bases. Il sera père de famille. Finie, la vie de moine.

Tout va très vite. Une semaine semble durer six mois. Ils trouvent un appartement avec deux chambres sur Orior Road. C'est un rez-de-chaussée qui donne sur un patio et un petit jardin. Sarah dit qu'elle viendra lire là le matin en buvant son café avant d'aller travailler. Ça le fait rire. Il n'est pas un matin où il ne l'a vue partir à toute vitesse car elle dort toujours jusqu'à la dernière minute. L'appartement a besoin d'un coup de peinture. Les propriétaires leur proposent un rabais s'ils s'en occupent eux-mêmes. Ils passent un week-end à poncer les plinthes, à retirer les échardes de bois qui se détachent, à peindre, peindre et repeindre. Il n'aime pas qu'elle grimpe en hauteur, même sur un escabeau. Il a beau le lui dire, elle ne l'écoute pas. Ils boivent du thé et partagent des sandwichs au déjeuner. Elle a mal aux mollets à force d'être sur la pointe des pieds. Ils travaillent ensemble, autre forme d'intimité. Elle lui parle de ses week-ends, enfant, quand son père la trimballait partout dans les ventes aux enchères, l'emmenait voir des manoirs pleins à craquer d'objets, tout était encore dans son jus, avec des étiquettes sur les meubles, des commissaires-priseurs au jargon étrange, des femmes aux chapeaux tarabiscotés, chacun feignant de prétendre que le XXe siècle n'était pas encore arrivé afin de préserver un passé depuis longtemps révolu. À son tour, il lui parle du bétail qu'il aidait à déplacer d'un endroit à l'autre. Lui explique que pour se faire obéir d'un bœuf, il faut l'attraper par les naseaux et ne plus le lâcher. Elle se moque de lui, son innocent garçon de ferme.

Il suit une journée de formation pour apprendre à conduire un chariot élévateur. C'est contre-intuitif, les roues motrices sont les roues arrière. À la fin, George lui remet un certificat, le premier diplôme de sa vie.

Il ne veut pas payer de déménageurs, aussi il vole un caddie dans un supermarché, le remplit de ses affaires et enchaîne les allées et venues le soir pendant que Sarah est encore au travail. Ces trajets lui font penser aux écluses sur Ballinamore

Canal : l'une se vide, l'autre se remplit. Ils acceptent que son père à elle leur apporte des meubles. Le nouvel appartement est mieux adapté pour ça. Il achète un tableau sur un étal dans le quartier de la cathédrale. Il représente Ophélie, la petite amie de Hamlet. Elle flotte, noyée dans la rivière, sa robe gonflée autour d'elle, des fleurs entre les mains, environnée de roseaux. Il ne sait pas très bien quoi en penser, mais il imagine que Sarah l'appréciera. Et en effet, ça lui plaît. Il se sent plus vieux en lui offrant ce présent. C'est un cadeau d'homme, un homme avec une carrière, un costume, qui apprécie les choses raffinées. Elle l'accroche au mur de la cuisine. Sa mère lui demande de le déplacer – c'est trop dramatique pour être ainsi exposé en permanence. Sarah le glisse sous le lit d'appoint. Il s'attend à ce qu'elle se querelle avec sa mère. Il se demande si cela a une signification, si cela dit quelque chose de la femme qu'elle est devenue. Il représente une rébellion tranquille pour elle, il le comprend. Face à une mère dominante, sa religion à lui donne à Sarah un abri derrière lequel se réfugier. Les catholiques sont une drôle d'espèce aux yeux de sa belle-mère. Elle ne peut manifester une opposition directe, elle a du mal à trouver des failles à exploiter. Il l'intimide. Quand il le comprend, ça lui fait tout drôle, mais ce n'est pas une sensation désagréable.

Sur les docks, l'activité est intense, le mouvement constant : les bateaux qui arrivent, les conteneurs qu'on décharge, les caisses, les grues, l'odeur d'eau et d'essence. À midi, ils jouent parfois au foot dans un entrepôt, des caisses servent de buts. Ils se rentrent dedans, se poussent, puis font des pauses cigarette. De temps en temps, les gars de la douane les rejoignent, ils enlèvent leur uniforme et se mettent en débardeur. Temporairement, le statut n'a plus d'importance. Ils font ça pour se sentir à nouveau comme des gosses. Le jeu compte et à la fois il ne compte pas. Il aime ça aussi ; ça fait un moment que l'excitation de la compétition ne l'a pas fait vibrer.

Sarah rentre épuisée. Il se surprend à l'envier un peu : la satisfaction physique qu'on ressent après une journée de dur labeur lui manque. Elle prend un bain de pieds devant la télé. Elle pourrait choisir la solution de facilité. « Aie pitié des riches, lui disait sa mère, ils ne peuvent pas vivre dans l'illusion que l'argent fait le bonheur. » Sarah le sait parfaitement. Elle n'a que faire de la pitié. Il aime sa sagesse, son pragmatisme, sa fermeté.

Ils se marient à la mairie de Belfast. Dans une serre. Partout, arbustes et verdure. Elle n'achète pas de nouvelle tenue pour l'occasion. Elle porte une robe de bal blanche, reprise par une couturière. C'est simple, pas de frous-frous partout. Elle a une petite fleur jaune dans les cheveux. Les filles du Royal Vic sont là. Elles ne parviennent pas à dissimuler leur surprise : elles ne croyaient pas qu'il aurait le cran, elles pensaient qu'il serait seulement une passade. Il n'invite pas les siens, c'est inutile, à leurs yeux, un mariage civil, ça ne compte pas, et puis il lui faudrait les entendre essayer de le lui prouver.

Mrs Hadley trouve tout ça bien étrange. Brendan a envisagé d'inviter Mrs Donnelly, ne serait-ce que pour avoir quelqu'un de son côté, mais finalement ne l'a pas fait. Les Hadley repartent vite. Les infirmières réquisitionnent un bar. Sarah et lui sont de retour chez eux à 23 heures. Il travaille le lendemain matin.

Il peint la chambre d'enfant couleur crème. Une jolie teinte neutre. Quand il recule pour avoir une vue d'ensemble, il pense à la musique qu'on entend dans les ascenseurs et les grands magasins. Le père de Sarah leur apporte un berceau en bois. On dirait un lit de poupée, avec des bords hauts, et les pieds en arcs de cercle pour se balancer. Il le peint en turquoise, la couleur qu'elle préfère. Il ne lui dit rien. Elle le découvre en venant prendre les mesures pour les rideaux. Elle revient et l'embrasse dans le cou. C'est la vie, la vie qui avance.

Il achète une voiture, une vieille Datsun Sunny chez un revendeur de Poyntzpass. Il veut avoir un moyen de transport le jour de l'accouchement, et puis il est temps d'arrêter de prendre le bus pour aller travailler. Le revendeur n'a pas de bureau, juste une bicoque avec des rangées de véhicules, dehors, qui s'échelonnent le long de la petite rue adjacente. La voiture est rouge, avec un capot bleu clair. « C'est pas la plus belle. Mais elle vous emmènera du point A au point B.

— Aller-retour ? »

Ça, ça plaît au revendeur. « Ah, pour sûr, aller-retour, du moment qu'il y a un retour possible », dit-il en riant à gorge déployée.

Brendan le paie en liquide et le type signe le registre de vente.

« Dites donc, ce serait pas votre première bagnole par hasard ?

— Eh si. »

Il range le reçu dans une enveloppe, la lui tend, et Brendan la glisse dans sa poche. Puis l'homme lui met la clé dans la main d'un geste assuré, c'est un acte rituel, il referme sa main par-dessus la sienne, la serre.

« C'est pas rien, une première voiture. Vous allez voir comment ça change un homme. Je vous souhaite bonne route. »

Brendan le remercie. Il ne peut réprimer un sourire en s'asseyant derrière le volant, encore une petite étape franchie, un autre signe montrant qu'il est désormais un homme indépendant.

14

À MESURE QUE se poursuit la grève de la faim, les semaines ralentissent. Les parties de foot s'arrêtent.

Et puis finalement, Bobby Sands meurt. Après l'annonce, tout s'embrase d'une rage infernale. Les émeutes éclatent à travers la province entière. Une adolescente décède d'une balle en caoutchouc tirée par l'armée. Sur Antrim Road, dans le nord de Belfast, la foule caillasse un camion de lait ; le routier panique et va s'écraser contre un réverbère, se tuant ainsi que son fils de quatorze ans. Un sniper descend un garçon de Divis Flats.

La vague de colère déborde. Andrew, un des gars de la douane, lui dit en fumant une cigarette que l'IRA a fait exploser un véhicule blindé Saracen à Bessbrook, à trois kilomètres de Newry. Cela le déconcerte. Ray McCreesh, de Camlough, s'est lancé à son tour dans une grève de la faim il y a huit semaines. Il est évident que les deux sont liés, c'est une manifestation de solidarité. Bessbrook, c'est tout près de chez McCreesh.

Tout lui semble plus réel, plus immédiat, après avoir appris cette nouvelle. Il ne parvient plus à se concentrer ; il rentre dans une pile de palettes avec son chariot élévateur et elles s'égaillent dans tous les sens. Il quitte le boulot plus tôt. Il veut arriver à la maison avant Sarah, ranger l'appartement, préparer le dîner. La routine est un repère auquel s'accrocher, le calme au cœur du chaos.

Plus il s'approche de chez lui, plus la présence militaire s'intensifie ; la circulation est congestionnée. Les hélicoptères tournent au-dessus d'eux. Partout, des soldats. Il passe trois barrages routiers avant d'arriver à sa rue. Les militaires s'expriment comme des robots, posent des questions d'une voix qui n'a plus rien d'humain, regard d'acier, il est facile de voir comment un homme peut se transformer en machine. Les voisins sont debout sur le pas de leurs portes. Les joyeux cris des enfants qui d'habitude résonnent dehors se sont tus.

Il glisse la clé dans la porte, l'ouvre, la referme derrière lui, puis il s'y adosse et inspire profondément. Enfin, le monde est derrière lui, dehors, pas à l'intérieur. Il ne peut s'empêcher de penser aux McCreesh, chez eux, à dix minutes en voiture. Comment fait-on pour vivre, pour manger, respirer, se doucher, mener une vie normale quand votre fils a décidé de son plein gré de ne plus s'alimenter ? Il jette un regard neuf sur la vie qu'il est en train de construire avec Sarah, contemple les fleurs séchées dans les vases, les plateaux sur la table basse, le plaid sur le dossier du canapé, la lampe et son abat-jour aux glands verts qui pendouillent. Les magnets roses en forme d'éléphant sur le frigo. Tout ça n'a plus de sens. La protection de son foyer lui apparaît soudain aussi nue qu'une illusion. Dans quel genre d'endroit vont-ils mettre au monde cet enfant ?

Il ouvre le frigo, prêt à cuisiner pour Sarah, mais en voyant ce qu'il contient, il éprouve de la répulsion. Il ne peut s'empêcher d'imaginer Ray McCreesh, émacié, attaché sur son lit par des sangles. Il s'assoit à la table de la cuisine. La pluie cogne contre les carreaux. Assis, il l'écoute, les yeux grands ouverts, il a l'impression d'être un intrus dans sa propre vie, un étranger dans sa patrie.

Il entend la porte se refermer, Sarah pose son sac, retire son manteau. Elle est épuisée. S'écroule sur une chaise et lui demande de mettre la bouilloire à chauffer.

À table, ils serrent leurs mugs entre leurs mains.

« On n'aurait pas dû venir ici, dit-elle.

— Où est-ce qu'on aurait pu aller ?

— On pourrait s'installer dans le Sud, tout recommencer.

— Et après ? On oublierait ce qu'il s'est passé ici ? On ne peut pas effacer les choses. »

Elle se met à pleurer d'amères larmes silencieuses. Il la prend dans ses bras, pose les mains sur son ventre. Il sent l'enfant bouger à l'intérieur. Il a du mal à croire qu'un être humain va sortir de là. À cause de lui, mais pas seulement. Qui lui ressemble, mais pas seulement. En toute honnêteté, il se sent contingent. La mère fait grandir l'enfant, le père lui offre sa protection. Comment pourrait-il s'acquitter de sa part du marché ?

Au lit, ils font l'amour tandis que des flots de lumières filtrent par les rideaux, projetant d'étranges ombres à travers la chambre.

Après cette soirée, le travail ne signifie plus grand-chose pour lui. Il déteste se lever le matin. Au petit déjeuner, il appréhende la journée qui l'attend. Il n'a plus envie de sortir, il n'a plus envie d'avoir affaire aux gens, d'obéir aux ordres.

Les chauffeurs le sollicitent pour de petits services. De temps à autre, ils lui demandent de mettre des caisses de côté. Ils attachent un billet à son bloc-notes pour s'assurer que tout se passe bien. Il n'hésite pas à accepter, ils travaillent tous pour un système qu'aucun d'entre eux n'a contribué à construire.

Engels : « L'appropriation du travail non rémunéré est la base du mode de production capitaliste et de l'exploitation des travailleurs qu'il recouvre. »

Le vent finit par tourner et l'oriente vers la lutte. Il ne peut rester indéfiniment en marge.

À présent qu'ils ne jouent plus au foot, il va déjeuner au parc, près du port – quand le temps le permet. Il lit, observe les écureuils, écoute les bruits autour de lui, regarde ceux qui se prélassent dans l'herbe. Des bribes de conversation arrivent à ses oreilles. Le parc a son propre rythme. Les gens s'assoient dans les mêmes coins. Il se met à noter ses observations, les couche sur les dernières pages des livres qu'il lit.

« Le bus arrive de Rostrevor ; son clignotant gauche est cassé. »

« Une femme fouille dans son sac, sort ce qu'il contient sur l'herbe. »

« Un homme se débat avec un parapluie noir. »

Si Sarah trouvait ça, elle penserait qu'il a perdu la tête. Peu importe. Les choses simples apportent du réconfort.

Il est plongé dans ses notes le jour où Joe débarque. Son frère s'assoit sur le banc à côté de lui, il attend que Brendan remarque sa présence. Rien. Au bout d'un moment, il se met à parler.

« Ça en fait, un paquet de gribouillis. C'est une lettre, que tu écris ? »

Brendan se redresse d'un coup, dissimule les pages. Il lui faut un moment pour accepter l'idée qu'il s'agit bien de Joe, tombé du ciel.

« Qu'est-ce que tu fous là ? Mais putain, comment tu m'as trouvé ?

— Una m'a rencardé sur ton boulot. »

Joe a vieilli, il a maigri, ses cheveux grisonnent. Brendan a l'impression d'avoir devant lui une version de leur père en plus jeune, comme s'il regardait une photo animée.

« Tu es en congé ? Maman m'a rien dit.

— J'en suis plus.

— Comment ça, t'en es plus ?

— C'est fini. J'ai payé ma dispense.

— Quoi ? Mais ça remonte à quand ?

— Il y a quelques semaines.

— Tu n'es pas rentré à la maison ? Maman m'a rien dit.

— Il y a longtemps que ça n'est plus ma maison. J'ai quelques trucs à régler avant d'aller lui parler. Mais ouais, je suis revenu, impossible de continuer à porter ce putain d'uniforme, pas après tout ce qui s'est passé.

— Où est-ce que tu vis ?

— J'ai un pote à Dundalk. Je crèche sur son canapé pour l'instant.

— Tu fais attention ? Y en a pas mal qui aimeraient savoir ce que tu as fait.

— Ouais. J'ai un contact officiel.

— Ils t'ont fait rentrer ?

— Ouais, je suis allé les voir moi-même, et ouais, j'ai passé un sale quart d'heure. »

Il accorde à Joe un moment, lui laisse de la marge pour continuer, mais son frère lui renvoie son regard, visage neutre, bien entraîné à ne rien laisser paraître.

« J'en doute pas. Et maintenant ? »

Joe regarde autour de lui, puis baisse les yeux vers sa montre. « À quelle heure tu termines ?

— À 17 heures.

— OK. On s'en boit une après ? »

Brendan hausse les épaules. « Difficile de refuser, hein ? »

Joe lui tape sur l'épaule. « C'est cool, mon vieux. »

Ils se retrouvent dans un pub sur l'esplanade. Quand Brendan arrive, Joe est assis dans une petite salle à part, il lit le journal. Il commande deux pintes au bar et les pose sur la table. Joe lui sourit de son sourire oblique. Il y a en lui quelque chose d'usé, d'amer. Il lui manque quelques dents en bas. Brendan se demande s'il les a perdues en se battant ou à cause de son mode de vie erratique.

« Le petit frère paie sa tournée.

— Qui a dit qu'il y en avait une pour toi ? »

Il y a tant à raconter, trop. Joe a toujours été un étranger, une rumeur. Ils boivent leurs bières. Joe évoque les petits trafics de son frère, le chariot avec son nom dessus qu'il traînait à travers champs et dans les chemins creux. Brendan sourit malgré lui à l'évocation de ses dispositions précoces. C'est assez remarquable, rétrospectivement, qu'ils l'aient laissé agir.

« Tu as toujours été un sacré petit malin. Je suis sûr que tu continues, qu'il y a des caisses qui disparaissent de temps en temps. »

Joe sait-il quelque chose ? « Tout est parfaitement réglo.

— Ouais, j'en suis sûr. Mais fais attention. »

Brendan le regarde droit dans les yeux. « Tu te fous de ma gueule. Tu vas vraiment me faire un sermon sur la moralité ?

— Prends ça comme un conseil de grand frère.

— Ouais, super. C'est génial que tu sois là pour dispenser tes conseils. Ah, quand je pense à tout ce que j'ai raté. »

Ils boivent une autre pinte, parlent de football, lâchent du leste. Brendan attend que Joe en vienne aux choses sérieuses, mais non. Il s'aperçoit que son frère est nerveux. Il regarde autour de lui pour être sûr qu'on ne peut pas les entendre. Baisse la voix.

« Qu'est-ce que tu fais là, Joe ?

— La situation a changé. On doit prendre parti. Je ne peux plus faire semblant que ça n'existe pas.

— Tu as déjà pris parti. C'est beaucoup trop tard pour changer, maintenant.

— Écoute, Brendan, tu étais trop jeune pour t'en souvenir, mais à l'époque où je me suis engagé, j'étais dans un sale état, il fallait que je parte de la maison. Je n'avais aucune compétence, et entrer chez les Rangers, ce n'était pas très compliqué : y avait plein de gars qui faisaient ça. Pour être honnête, j'étais content, j'avais besoin d'être cadré.

— C'était quoi déjà le modèle d'arme que vous aviez ? »

Sachant ce qui l'attend, Joe répond doucement : « Tu le sais.

— Faut que tu m'aides à me rappeler.

— Un L1A1.

— Ben ouais, c'est vrai, je le sais. J'en ai eu un pointé sur ma tête alors que j'étais dans mon lit, une nuit. Peut-être que ça aurait été le bon moment pour songer à tout lâcher ? Quand tes potes nous ont foutu une sacrée raclée à papa et moi ? Je croyais qu'on s'en sortirait pas, et papa aussi. Mais t'inquiète pas, je suis sûr que vous ne faisiez que votre devoir.

— J'ignorais que c'était allé jusque-là. Tu sais comment sont les parents : ils m'ont pas dit grand-chose. Je savais que papa avait été arrêté. Mais pour toi, j'étais au courant de rien. J'ignorais qu'ils avaient tout cassé dans la maison, sincèrement. Je ne l'ai vraiment découvert qu'il y a un an ou deux, c'est Una qui m'a tout raconté.

— Ça pue l'enfumage, tout ça, Joe. N'empêche, tu aurais pu tout abandonner.

— Je pensais que c'était mieux d'être à l'intérieur du système, qu'avec un bataillon irlandais ils resteraient réglos, nous respecteraient.

— Te fous pas de moi.

— Voilà ce que je me disais. Je ne prétends pas que j'avais raison. Ouais, et puis, faut bien l'admettre, ça me plaisait d'être soldat. Non, en vrai, j'adorais ça : tu portes une arme, un uniforme, et putain, tu es invincible. Et j'en avais ras le bol de cet endroit, je ne voulais pas savoir.

— Et là, tout a changé, d'un seul coup.

— Ouais. C'est comme ça. » Joe boit une gorgée de bière. « Je suis désolé que tu aies vécu tout ça, désolé de ne pas avoir été là. Mais c'est fini, maintenant. Il est temps de me racheter.

— Auprès de qui ?

— Auprès de tous ceux qui sont en colère contre moi. Tu n'as pas tort. Je vous ai tous laissé tomber, j'ai pris le pognon, j'en avais rien à foutre du reste. Et maintenant, il faut que je vive avec ça. Que je répare. »

Le pub commence à se remplir, le barman cesse de nettoyer les verres. Joe regarde autour de lui, passe les visages en revue. Il reprend la parole dans un murmure, veille à ne pas attirer l'attention.

« J'étais pote avec Martin Hurson, quand on était mômes, tu le savais ? »

À présent, huit des grévistes de la faim sont morts. Martin Hurson a été le sixième à décéder. Brendan lui lance un regard dur : sur son visage, il lit la vérité.

« Ils avaient une petite ferme. Je le voyais de temps en temps chaque fois que j'allais au magasin à Dungannon, avec papa. On traînait ensemble pendant qu'ils faisaient leurs affaires, on tapait dans un ballon. Il n'avait qu'un ou deux ans de plus que toi.

— Il n'est mort qu'il y a un mois. Ce n'est pas pour ça que tu es parti.

— Il est mort de déshydratation, tu le savais ? Pas de faim, mais de soif, putain ! Son corps ne retenait plus l'eau. Réfléchis à ça. À ce petit gars qui jouait au foot avec moi. »

Brendan se lève pour de bon. « Ça suffit. Par les larmes du Christ. Tu as choisi ton destin, Joe. Tu ne peux pas changer de camp. C'est à peine si je te connais : tu n'es qu'une carte postale, pour moi. Fais ce que tu as à faire, mais viens pas me chier dans les bottes. »

Il sort sur l'esplanade, c'est bon de sentir l'air sur son visage, il traverse quelques rues, arrive à sa voiture. Il regarde l'heure. Presque 21 heures. Il ne devrait pas conduire après avoir bu tout ça, mais avec le bus, ça lui prendrait des heures. Il va s'installer dans la voiture, fermer un peu les yeux ; il décidera quoi faire dans une demi-heure.

Il vient de baisser le dossier de son siège quand on tape au carreau. Joe.

Mais merde !

Il baisse la vitre.

« Tu me ramènes ?

— À Dundalk ? Ouais, bonne idée. Traverser la frontière à moitié bourré. J'ai vraiment besoin de ça. »

Joe monte à côté de lui, s'apprête à fumer. Brendan lui demande d'ouvrir la fenêtre. Il remet la cigarette dans le paquet. Il reste assis là, à regarder la rue. Brendan s'impatiente, insère la clé. Joe se met à parler ; Brendan ne démarre pas.

« Donc, tu les as rejoints ? On t'a donné le Livre vert de l'IRA et tout ça ?

— Il le fallait. Je n'avais pas le choix. Sinon, ça aurait mis tout le monde en danger.

— Me raconte pas de conneries, Joe. Ne nous mêle pas à ça. Tu as juste envie de continuer à porter une arme pour faire semblant d'être quelqu'un.

— Ce n'est pas ce que tu penses. C'est beaucoup plus structuré que tu l'imagines. Il ne s'agit plus de petites unités volantes qui s'en prennent aux casernes de la RUC, c'est fini tout ça. C'est bien plus subtil maintenant. Ils ont appris des luttes internationales.

— Allez, encore ce "ils".

— OK. Nous.

— D'accord. Au moins, c'est clair. »

Joe secoue la tête, regarde aux alentours. « Grandis un peu, mon gars. Tout ça, ça dépasse largement Belfast ou Derry. C'est un mouvement qui se construit, une lame de fond mondiale. L'internationale des frères et des sœurs en lutte. Liban. Palestine. Regarde la Fraction armée rouge, comment ils ont terrorisé l'Allemagne. Les Brigades rouges ont enlevé le Premier ministre italien. On apprend les uns des autres. Tout est possible maintenant. Ne sois pas si étroit d'esprit. On parle de la démocratie au service des travailleurs.

— C'est bon, ça suffit les discours. Tout ça n'a rien à voir avec moi.

— On est tous embarqués là-dedans. Les grèves de la faim ont tout changé. Tu peux prétendre que non, mais tu sais que j'ai raison. »

Son frère descend de voiture et s'enfonce dans la nuit. Et Brendan doit s'avouer à lui-même qu'il est encore impressionné par la prestance de Joe, ce salopard qui réussit toujours à avoir le dernier mot.

Le matin, lorsqu'il se regarde dans le miroir, il se demande si lui aussi il ressemble à son père. Il essaie de déceler une ressemblance avec Joe. Il y a bien quelque chose dans ses sourcils froncés, sa bouche serrée. Il essaie de se laisser pousser la barbe, mais ce n'est pas formidable : elle est trop fine, bouclée, avec des touffes de roux et de noir. Sarah menace de la lui raser pendant qu'il dort.

Il est nerveux. L'automne arrive. Les grèves de la faim continuent, on ne sait pas quand ça finira. La pluie lui donne des impatiences. Les horaires de travail de Sarah le plombent, elle n'est pas là le week-end. Il ne fréquente pas les pubs, il n'a pas envie d'entendre tous ces bavardages. Il va se promener le long du fleuve Newry, donne du pain aux canards, passe du temps à la bibliothèque. Il voit un rameur sur l'eau, se demande s'il ne devrait pas se mettre à l'aviron. Il observe les mouvements souples de l'homme, les rames qui vont et viennent, la propulsion, la puissance, glissant librement à la surface de la vie.

Joe vient dîner, il apporte des fleurs à Sarah. Il dit ce qu'il faut, admire les meubles, les complimente sur le choix de l'appartement, évoque le dévouement des infirmières dans les hôpitaux militaires. Il offre à Sarah des bribes de l'enfance de Brendan, des trucs que celui-ci a oubliés, le jour où il s'est foulé la cheville dans un terrier de lapin, ces dents de Dracula qu'il emportait partout dans sa poche pendant des années, c'était un enfant de chœur modèle, toujours choisi pour servir la messe à Noël, sentant l'encens au déjeuner du dimanche. Brendan voit que sa femme écoute attentivement son frère. Peut-être devrait-il savoir gré à Joe pour sa présence – enfin, un semblant de famille naissante.

Sarah atteint le dernier trimestre. Elle dort mal. Ses mouvements, la nuit, réveillent Brendan en sursaut. Dans ces moments flottants entre veille et sommeil, il voit un canon de fusil pointé sur lui. « Est-ce qu'y faut que je fasse sauter ta putain de cervelle ? »

Aux check-points, il regarde les soldats droit dans les yeux. Ils ne se détournent pas – ils ont été formés pour soutenir un regard. Ils se toisent mutuellement. Il prend soin de ne pas se montrer agressif ; il veut juste leur faire comprendre qu'ils ne sont pas les bienvenus.

Son père ne s'est jamais vraiment remis de cette nuit-là, quand ils sont venus les chercher. Ce n'est pas tant que ses nerfs ont vrillé : c'est surtout l'humiliation d'avoir été traité ainsi devant ses propres enfants. Après, son discours s'est trouvé en quelque sorte diminué : il s'est mis à marmonner, à douter de ce qu'il disait. C'étaient des petits trucs. Au volant de son camion, il calait souvent, hésitait à prendre les virages. Ce sont des petits trucs qu'ils vous prennent, avec leurs armes et leur arrogance.

Ça pourrait être lui dans douze ans. Lui qu'on traîne dans une cellule, avec son petit garçon derrière. Lui qu'on force à chanter une chanson royaliste au fond d'un camion militaire tandis que des soldats écrasent leurs bottes dans le dos de son fils. On n'en voit pas la fin. Peut-être qu'il doit réfléchir à ce qu'il dira à son propre fils lorsqu'il sera grand. Il pense à Ulrike Meinhof : « Protester, c'est dire que je n'apprécie pas quelque chose. Résister, c'est mettre fin à cette chose. »

15

JOE LOUE UN APPARTEMENT à Carlingford. Brendan lui avance l'argent de la caution, tirant une certaine satisfaction de voir son grand frère venir lui demander son aide, l'air penaud. Il l'emmène à des ventes aux enchères plusieurs week-ends, ils attachent les meubles sur le toit de la Datsun.

Parler devient plus facile. Joe n'essaie pas de le convaincre, il exprime seulement sa pensée. Le grand frère a toujours une autorité qui inspire au cadet le respect.

Un soir, Joe lui téléphone et lui demande de venir le retrouver chez lui, à Carlingford ; il doit lui parler d'un truc. À entendre sa voix, Brendan devine qu'il ne s'agit pas d'une discussion ordinaire.

Il verse de l'eau bouillante et du sel d'Epsom dans une bassine émaillée. Il la tient avec une serviette pour l'apporter dans le salon et la pose devant Sarah. Il lui enlève ses chaussures, ses chaussettes, lui masse les pieds en appuyant bien les pouces. Elle ne prête plus attention à la télévision et renverse la tête en arrière, regarde le plafond, soupire doucement. Il vérifie la température de l'eau et, satisfait, immerge les pieds de Sarah. Elle lui sourit, détendue, s'oubliant à moitié. Il se lève, l'embrasse sur le front et se dirige vers la porte.

« Tu sors ?

— Ouais. Joe a besoin de moi. Ce ne sera pas long. »

Elle sait qu'il lui cache quelque chose. Elle est bientôt à terme.

« Et si je perds les eaux ?

— Tu as son numéro. Ce n'est que pour quelques heures. Je serai rentré au moment où tu iras te coucher.
— Celle-là, je l'ai déjà entendue.
— Je vais brancher la couverture chauffante avant de sortir, au cas où.
— Et tu crois que ça suffit pour m'amadouer ?
— Ça marche à chaque fois, non ? »
Petit sourire - difficile de se mettre en colère quand on a les pieds plongés dans une bassine d'eau chaude.

Joe est au salon avec un autre type, guère plus âgé que Brendan. Il porte un jean et une chemise en jean, de grosses bottes noires. Le bas de son pantalon est retroussé, sa chemise bien repassée. Il a les cheveux d'un noir de jais, lisses, ramenés derrière les oreilles. Il est rasé de près, jovial, à l'aise dans ses gestes.
Joe les présente, dévoilant seulement leurs prénoms. L'inconnu s'appelle Cathal. Il lui tend la main. « Comment ça va ? »
Doux accent du Donegal. La poigne est ferme mais pas assez puissante pour signifier quelque chose. Parcours universitaire, devine Brendan. Ingénieur, peut-être. Cette espèce d'allure prudente, d'esprit logique. Malgré sa jeunesse, Brendan a l'impression que l'autre est depuis longtemps membre de l'IRA. Il a peut-être obtenu une bourse. Il est peut-être chimiste. Il fabrique peut-être des bombes.
Cathal a une demande à lui soumettre. Un major de l'UDR, Tom Warwick, est détaché aux douanes du port. Ils le surveillent depuis un moment.
Brendan regarde Joe. « Qu'est-ce que vous voulez ?
— On aimerait que tu ouvres l'œil, répond Cathal, que tu notes les détails, même les petits. Tout ce qui concerne ses habitudes serait particulièrement utile.
— Je ne m'engage à rien.
— On ne te demande pas de t'engager, juste de nous indiquer la bonne direction.
— Je vais y réfléchir », répond Brendan.
Cathal n'insiste pas. Il est clair qu'il n'en attendait pas davantage. Il abandonne le reste à Joe. Il se lève, leur serre la main, s'en va.

Joe allume une cigarette, met la bouilloire à chauffer.

« Tu aurais pu me prévenir, dit Brendan.

— Arrête. Tu voulais venir. »

Il revient avec deux mugs fumants et une bouteille de lait.

« Où est-ce que ça va mener ?

— À ton avis ? »

Brendan boit son thé, marque une pause. « Tu ne vas pas faire appel aux gars du coin, si on en arrive là ? » L'opération de Newry a été menée n'importe comment, à ce qu'on raconte. De pub en pub se colportent des rumeurs de travail bâclé, d'inefficacité.

Joe acquiesce. « Ils auront de l'expérience. Il n'y aura pas de détail laissé au hasard.

— Mais tu ne peux pas le garantir, si ? Quelle influence tu as ?

— Moi, aucune, mais Cathal en a.

— Il n'est pas d'ici ?

— Ne me pose pas de questions auxquelles je ne peux pas répondre. »

Au retour de Brendan, Sarah dort sur le canapé. Il ne veut pas la réveiller mais il a envie d'être près d'elle. Il se couche par terre, au pied du canapé. Il l'entend gémir dans la nuit, c'est agréable, une sorte de ronronnement satisfait, léger et joyeux. Ainsi allongé par terre, le plancher sous son dos, il a l'impression d'être essentiel, lié à quelque chose de plus grand que lui-même.

Le lendemain, on l'appelle à son travail : c'est l'hôpital. Sarah est en salle d'accouchement – il y a eu des complications. Il saute dans sa voiture et retourne à Newry. Il n'a pas pensé à se changer et se sent mal à l'aise en arpentant l'hôpital dans sa tenue de travail. Au poste des infirmières, on lui dit d'aller s'asseoir. Il demande comment ça se passe, et on lui répond que Mr Fitzpatrick viendra le voir dès qu'il aura une minute.

Il connaît suffisamment les infirmières pour savoir qu'il faut s'inquiéter quand elles se montrent taciturnes.

Il s'assoit. Pleure dans ses mains. Il ne sait pas pourquoi. C'est comme si à l'intérieur de sa poitrine quelqu'un avait flanqué un coup de marteau sur un robinet rouillé. Une infirmière a pitié de lui et lui explique que la tension artérielle de Sarah a atteint un niveau inquiétant, aussi l'a-t-on descendue au bloc pour lui faire une césarienne. Elle lui dit que Mr Fitzpatrick n'était pas très inquiet : il a de l'expérience et il a agi plus par précaution que par nécessité. Elle lui demande de patienter, ils en sauront bientôt davantage. À travers ses larmes, il acquiesce ; il n'ose même pas imaginer de quoi il a l'air.

Il perd le fil du temps. L'infirmière revient, lui apporte du thé et un biscuit. Elles savent que Sarah travaille à l'hôpital, par conséquent il doit avoir un traitement de faveur.

« Tout ira bien. J'ai parlé aux infirmières qui s'occupent d'elle : ça s'est passé au mieux. Vous avez un petit garçon. Buvez votre thé et reposez-vous, vous pourrez aller le voir dans quelques minutes. Sarah est toujours en salle d'op, mais je vous dirai quand on la remontera. »

La douceur de sa voix le remet d'aplomb. Il pose la tasse par terre, sous sa chaise, et va à la fenêtre pour se distraire, reprendre ses esprits. La brise ébouriffe les arbres au dehors, retournant les feuilles. Voilà ce que voulaient dire les gens qui lui ont déclaré que tout allait changer. À présent que son enfant est né, le monde lui paraît différent. La vie est différente. Continue. Essentielle. Simple. Répétitive. La vie est belle. La vie est délicate.

Dans le service de néonatologie, le petit garçon est dans une couveuse, aussi fragile qu'une brindille. Cheveux de jais plaqués sur son front, poings minuscules, des doigts comme des bananes miniatures. Déjà toute une gamme d'expressions. Le bébé fronce sa frimousse, grimace, puis il ouvre grand les yeux. Sa bouche s'ouvre également, ses lèvres forment un cercle noir parfait et fascinant, ensuite, un cri perçant, un vagissement. Des humeurs pareilles au temps, des nuages d'orage débarquant d'une baie invisible. C'est si rassurant d'assister à des impulsions spontanées.

Le voilà qui serre les poings, consumé par la rage, se préparant déjà pour ce qui va suivre.

16

Au travail, il commence à remarquer des choses, de simples détails. Il les note. Tom Warwick conduit une Vauxhall Cavalier bleue, immatriculée VYY 179. Il a la cinquantaine. Un peu dégarni en haut, il peigne ses cheveux derrière ses oreilles. Il mesure environ un mètre soixante-dix-huit, doit peser entre soixante-quinze et quatre-vingts kilos. Il a encore l'air costaud, capable de se défendre.

Brendan arrête de mettre des caisses de côté.

Il explique aux chauffeurs, l'un après l'autre, qu'il a désormais un petit garçon à la maison ; il ne peut plus prendre de risques.

Il essaie de se faire une idée de la routine de Warwick mais, en tant que cadre, celui-ci peut changer d'emploi du temps quand bon lui semble. Il a l'air sympathique à voir la manière dont il se comporte avec les autres, dont il parle aux chauffeurs. C'est un solitaire, plus par choix, par prudence, que par nature, pense Brendan.

Enfin, il repère une faille. Un matin, Warwick descend de voiture avec un gâteau au glaçage chocolat ; il a l'air fait maison. Il passe devant eux tandis que Brendan fume une cigarette avec Andrew.

« C'est pour quelle occasion ? J'ai raté ton anniversaire ? demande-t-il à Andrew.

— Tu parles. Chais même pas s'il connaît mon nom.

— Il essaie de faire de la lèche à qui ?

— À tout le monde, je pense. On appelle ça les "vendredis de Warwick". Le premier vendredi du mois, il apporte un gâteau. Il imagine sans doute que les pâtisseries de sa bourgeoise sont assez bonnes pour nous empêcher de nous servir au passage.

— Ah. Et ça marche ? »

Andrew chasse la fumée, une étincelle dans les yeux. « Pour ça, faudrait au moins qu'il y ait des petites danseuses qui sortent du gâteau en bondissant. »

Il contacte Joe. Ce soir-là, il va le voir à Carlingford. Il lui raconte tout ce qu'il sait et lui donne son carnet. Joe le feuillette. « Eh, doit y avoir plein de choses, là-dedans. »

Les grèves de la faim sont terminées. Ni victoire ni liesse dans les rues. Tout s'est délité petit à petit pendant quelques semaines, puis ça s'est arrêté. Les parents de Paddy Quinn ont insisté pour qu'il soit pris en charge par les médecins lorsqu'il a sombré dans le coma, et les autres familles leur ont emboîté le pas. L'évêque a demandé que les grèves de la faim cessent. Le Sinn Féin est entré en négociation avec le secrétaire d'État pour l'Irlande du Nord. La volonté était brisée. Difficile de continuer la lutte dans l'indifférence. Tout le monde a l'air éreinté, plombé, ils ont besoin de vacances, d'aller plonger dans la mer. Il y a bien des gamins dans la rue avec des pétards. Mais c'est tout, personne n'a envie de célébrer quoi que ce soit. Lire les journaux, écouter la radio ou les conversations de tous les jours n'apporte aucun soulagement. On dirait que toute la rancœur, tous les courageux discours de ces derniers mois n'ont servi à rien – un beau gâchis.

Deux semaines de paix domestique. Ils ont décidé d'appeler le bébé Malachy, comme le grand-père paternel de Brendan. Celui-ci était petit à l'époque où son pépé est mort, mais il se souvient de sa gentillesse. Il était mécanicien chez Cadbury à Dublin. Brendan se rappelle que lorsqu'ils allaient rendre visite à son grand-père chez lui, il lui demandait de lui montrer son atelier, alors Malachy l'amenait dans la remise, lui présentait ses outils, les restes de pots de peinture, et l'enfant était aux anges, captivé par tous les objets que son grand-père possédait.

Le petit Malachy dort dans un couffin, dans un coin de la chambre. Parfois, Brendan se réveille la nuit et voit sa femme qui donne le sein. La chambre, remplie de tout le nécessaire aux soins maternels, est telle une matrice pour lui aussi. Il pose la tête sur elle quand elle revient au lit, et elle l'accueille, prend soin de lui. Elle est plus âgée, plus expérimentée ; maintenant qu'elle a un enfant, il émane d'elle une solennité, une profondeur qui lui paraît insondable. Il n'a pas envie de s'en aller, le matin ; il n'aspire qu'à ça, à cette tranquillité.

Ils baptisent Malachy à Enniskillen. Sa mère et son père sont ravis qu'il leur accorde ce privilège. Les parents de Sarah viennent également. Una est la marraine. Craig, le frère de Sarah, le parrain. Brendan comprend que c'est la première fois que Craig met les pieds dans une église catholique : il écarquille les yeux, à croire qu'il vient d'entrer dans la chapelle Sixtine. Le bébé hurle comme un diable lorsque le prêtre verse l'eau froide sur son front. « Jolie paire de poumons », dit le prêtre. Brendan a beau savoir qu'il dit ça à propos de tous les bébés, il sourit tout de même, fier que son fils ne s'en laisse pas conter.

Ensuite ils vont déjeuner à l'hôtel de Killyhevlin. Una est venue de Dublin passer quelques jours. Elle refuse de le regarder. Elle a parlé avec Joe, c'est certain, elle a des soupçons au sujet de leurs activités. Elle a trouvé un travail d'assistante juridique et a l'intention de passer le barreau. Elle est bien habillée, elle a de la prestance, ses vêtements et sa manière de bouger inspirent le respect. C'est le genre de femme avec qui Sarah peut s'entendre, elle utilise son cerveau pour faire son chemin en ce monde. Sarah et Una s'assoient dans le hall de l'hôtel pour discuter pendant que les autres prennent l'apéritif en cherchant désespérément des sujets communs. Le père de Sarah parle de mobilier, au départ par nervosité, puis par passion. Les autres l'écoutent, placides, ils lui savent gré de remplir le silence. Tout en l'écoutant, Brendan songe que son père à lui devrait se trouver une occupation, quelque chose qui l'arrache à sa léthargie. Les pigeons sont morts depuis longtemps.

La conversation entre Sarah et Una change la donne. Sa sœur n'a sans doute pas dit grand-chose, mais laissé planer des sous-entendus, comme font les femmes lorsqu'elles se parlent.

Elle cesse d'allaiter Malachy dans la chambre. Elle va dans le salon, s'assoit près du radiateur, écoute la BBC. À travers la cloison, il entend des voix onctueuses : dépêches d'Égypte, discussions sur la philosophie grecque, sur les habitudes migratoires des oiseaux de l'Arctique.

Maintenant qu'elle est en congé, elle traîne un livre partout avec elle, même au dîner. Quand il ne pleut pas, elle s'assoit sur la première marche du jardin, plongée dans son bouquin, Malachy dans son couffin, à ses pieds. Tout ce calme semble convenir au bébé. Les voisins font bonjour, lui crient : « Il doit être bien, celui-là, si tu ne lèves même pas le nez. » Elle les ignore. Ils cessent de l'interpeller.

Il s'assoit à côté d'elle sur la marche, allume une cigarette et lui demande ce qu'elle ferait dans une autre vie.

« Je serais toujours à Belfast », répond-elle.

Il rit de ce rire qui n'appartient qu'à lui, moitié ricanement, moitié grimace, soufflant l'air par le nez. « C'est pas très exotique, hein ? Tu n'aimerais pas être à Honolulu ou ailleurs ?

— C'est de là que je viens. C'est chez moi.

— Tu ne penses pas que c'est ici, chez toi ? »

Elle ne lève pas les yeux. Elle tourne une page brusquement, protestation minuscule. Il tient sa cigarette dans une main, de l'autre, il chatouille Malachy dans le cou et l'enfant glousse.

Il répète : « Tu ne penses pas que c'est ici, chez toi ?

— Non.

— Pourquoi tu dis ça ? »

Elle ne répond pas.

Il pose la main sur son livre pour qu'elle ne puisse pas continuer à lire. Elle garde la tête baissée. La fumée de cigarette flotte devant le visage de Sarah.

« Comment est-ce que ça ne serait pas ici, chez toi ? Là où est ton enfant, là où je suis, moi. »

Elle garde le silence. Il a l'impression qu'ils ont refait le chemin à l'envers et qu'ils se retrouvent dans le quartier des infirmières au Royal Vic. Cette indifférence qu'elle a toute sa vie cultivée. C'était séduisant alors. Maintenant, ça lui donne envie de tout casser.

« On peut déménager à Belfast, si c'est ça que tu veux.

— Ouais, bien sûr. Toi et Joe vous allez tout prendre en main, c'est ça ?

— Qu'est-ce que ça veut dire ? »

Elle le dévisage, lui dit aussi froidement que si elle lui demandait de préparer le dîner : « Enlève-moi cette cigarette de la figure ou je te l'écrabouille dans l'œil. »

Sa voiture rend l'âme à la fin octobre. Le moteur ne proteste pas. Il ne bégaie même pas : il est sans vie. Brendan se branche sur la batterie d'un voisin pour tenter de le redémarrer, en vain. Il appelle un mécanicien, qui se gratte la tête, lui dit qu'il faut amener la voiture au garage pour tout examiner. Il se retrouve à prendre le bus.

Il est assis à l'arrêt de bus un vendredi soir, le dernier vendredi du mois. Il n'a pas envie d'être en week-end : deux journées monotones, et Sarah qui lui fait la tête. Il se met à pleuvoir. Il n'a ni parapluie ni anorak. Il les a laissés sur les docks – ce genre de trucs lui arrive souvent en ce moment, il a la tête ailleurs. Ce n'est pas étonnant : il a tellement l'habitude de se passer des choses qu'il a du mal à se rappeler qu'il en possède de nouvelles. Le toit de l'abribus fuit. Il se déplace pour éviter d'être mouillé, mais l'eau finit quand même par l'atteindre, assombrit ses épaules, plaque ses cheveux sur sa tête. Il reste debout à attendre, seul, indifférent.

Une Vauxhall bleue fait marche arrière dans sa direction. Il ne l'a pas vue passer. Elle s'arrête, fait demi-tour devant lui. Warwick baisse la vitre et se penche.

« Vous travaillez sur les docks, c'est bien ça ?

— Ouais, c'est ça.

— Vous habitez à Newry. Je crois vous avoir déjà vu là-bas. »

Il s'apprête à nier, mais Warwick pourrait consulter son dossier et il se demanderait alors pourquoi il a menti.

« Ouais.

— Montez, c'est sur mon chemin. »

Brendan hésite, mais il ne peut pas refuser, surtout parce que l'autre a fait marche arrière pour lui. Il ouvre la portière, s'assoit, la referme. Le silence qui suit aussitôt le met mal à l'aise.

« Merci beaucoup.

— Vous auriez pu attendre là toute la soirée.

— Ouais.

— Au bureau, les filles appellent ça le "bus fantôme".

— Il passe, pourtant. Mais on ne sait jamais quand.

— Vous devriez acheter une voiture.

— J'en ai une. Mais elle est en congé maladie.

— Ah, c'est typique. Et quand il pleut, il tombe des cordes.

— Il pleut souvent, et en général il tombe des cordes. »

Ça fait rire Warwick. « Où allez-vous ?

— Orior Road. Mais ce n'est pas votre direction. Laissez-moi dans le centre, ça ira.

— Bien sûr que non. Pas par un temps pareil. » Il parle en regardant dans le rétroviseur : « On va faire un petit détour. Ça ne te dérange pas, hein ? »

Brendan n'avait pas vu qu'il y avait une passagère. Il se retourne et découvre une fillette dans un duffel-coat, avec un tutu rose. Elle doit avoir environ sept ans.

« On va au cours de danse », dit Warwick.

Brendan ne se rappelle pas la dernière fois où il a vu une enfant de cet âge. Il n'a pas envie de la dévisager, mais pour Dieu sait quelle raison se sent obligé de la regarder. Cheveux bruns tirés, sans doute en un chignon serré. De grands yeux marron. Elle le fixe avec curiosité, ouvertement, elle ne sourit pas, ne recherche pas son approbation, c'est une gamine pleine d'assurance, habituée à voir des gens qu'elle ne connaît pas.

Il regarde de nouveau devant lui. Ça ne doit pas être sa fille. Sa petite-fille, probablement. Il ne veut rien savoir d'elle, ne veut pas que Warwick lui en parle, il doit orienter la conversation vers autre chose.

« Vous savez qu'ils vont arrêter le service des télégrammes ? dit Brendan.

— Qui ?

— British Telecom.

— Plus de télégrammes ? C'est ça que vous dites ?

— Ouais, c'est ça. BT dit stop télégrammes stop. »

Warwick éclate de rire et dit : « J'en ai reçu un de ma mère quand j'étais petit. Elle était allée rendre visite à ma tante à Glasgow. Elle voulait nous prévenir qu'elle rentrait le lendemain ; on devait aller la chercher à la gare. On n'avait pas le téléphone, vous savez, c'était juste après la guerre. Le type est arrivé à la porte, j'ai ouvert, j'ai pris le télégramme, je l'ai lu. Ça disait : "Stop rentrer maison stop." Pourquoi est-ce que j'arrêterais de rentrer à la maison, je me suis dit ? Je n'avais pas la moindre idée de ce que ça signifiait. Finalement, je l'ai jeté à la poubelle.

— Donc personne n'est venu la chercher ? J'imagine qu'elle n'était pas contente. »

Ce souvenir fait sourire Warwick : « Ah, ça non, une vraie furie. »

Ils longent Abbey Park, des groupes de punks sont assis dans l'herbe sous la pluie battante, ils boivent des canettes, se moquant totalement de l'averse, leurs crêtes fièrement dressées, imperméables.

Maintenant que Brendan y pense, c'est une voiture modeste pour un cadre senior, major de l'UDR. Il est sans doute économe. Il doit avoir ouvert des comptes d'épargne pour ses petits-enfants.

Dans une autre vie, ils auraient pu devenir amis. Warwick est un homme simple. Chaleureux, sincère. Brendan apprécie la précision de ses mouvements. Même sa conduite est efficace.

Il y a des chances pour qu'il soit mort dans une semaine. Si Cathal utilise les informations qu'il lui a données, il va passer à l'action vendredi prochain. Le premier vendredi de novembre. Ils ne vont pas tergiverser : soit ils tentent le coup, soit ils renoncent. Ça fait bizarre de savoir ça. Que le type assis à côté de lui ne sera bientôt plus, effacé de la surface du monde. Il a l'impression de parler non pas à un homme, mais à un souvenir, une histoire qu'il faudra raconter un jour. Et c'est excitant, ce genre de pouvoir, de détenir une information si capitale pour l'autre, si personnelle. Les mains qui tiennent ce volant seront bientôt inertes, sous terre. C'est comme de voir

Malachy dans sa couveuse, suspendu au fil de la vie, c'est la même chose, mais à l'envers. Il éprouve une sorte de tendresse envers Warwick, il a envie de lui toucher la main, lui dire de ne pas s'inquiéter, tout se passera vite. Mais il lui demande : « Ça fait longtemps que vous travaillez pour les recettes et les douanes ?

— Depuis que je suis sorti de l'école. Je trouve que j'ai beaucoup de chance, ça veut dire que j'ai pris le train en marche bien avant tout le monde, et que j'ai pu me projeter dans l'avenir très tôt. »

Il ment. Impossible de devenir major de l'UDR sans expérience militaire. Mais on comprend qu'il mente, vu la situation, il ne serait pas très sage d'étaler ses états de service.

« J'imagine que c'est un sacré soulagement d'être installé si jeune. Élever des enfants, c'est déjà assez difficile, inutile d'y ajouter les soucis d'argent.

— Oui. Tout à fait. Quand on a un toit sur sa tête, tout le reste, c'est du gâteau. »

Ils se taisent un moment.

« Vous aimez votre travail ? demande Warwick.

— Ouais, c'est un boulot correct.

— Où avez-vous grandi ?

— Dans le comté de Fermanagh.

— Ah, c'est magnifique, là-bas. Je suis allé pêcher sur le Lough Erne.

— Ah ouais, où ça ?

— Oh, c'était il y a longtemps. Quelque part au nord du lac. Avec des amis, on séjournait dans un cottage. Les nuits étaient longues. On s'entassait dans le bateau au matin. Il a fallu que je me repose en rentrant.

— Prendre des vacances pour se reposer de ses vacances.

— Exactement. »

Il aimerait poursuivre la conversation, lui parler de ce lac où il a pêché, des cannes à pêche, des lignes, mais il se retient. Pourquoi éprouve-t-il le besoin de devenir ami avec cet homme ? Est-ce la culpabilité ? Non, pas besoin, il a raison. Dans le fond, tout ça, c'est une question de liberté, il s'agit du droit à vivre dans son pays sans forces d'occupation. Du droit de ne pas appartenir aux autres. De ne pas se satisfaire des quelques miettes tombées de la table. « Ce qui est à nous nous appartient, mais ce qui est à vous nous appartient aussi » – du droit de renverser la table.

Il regarde par la vitre pour décourager toute conversation. Restaurants, taxis, boutiques, cyclistes.

Warwick le dépose au bout de sa rue. Dans la voiture, Brendan lui serre la main, le remercie. Il ouvre la portière et la fillette à l'arrière lui lance : « Au revoir. » Il aurait préféré qu'elle se taise.

17

JEUDI SOIR, il promène Malachy le long du fleuve. Le nourrisson est niché contre sa poitrine : Sarah a emprunté un porte-bébé à l'hôpital. L'enfant aime ça ; Brendan aussi. Il dort tandis que son père marche, l'air frais les calme tous les deux. Le petit garçon n'a que six semaines, il pèse l'équivalent d'un sac de carottes. Le jour est tombé, l'environnement se réduit à des blocs d'ombre sculptés. Les roseaux bruissent. L'eau clapote. Les canards s'interpellent.

Ces semaines passées ont été une révélation. Donner le bain à l'enfant. Le laver. Regarder sa femme le nourrir de son propre lait. Il a l'âme domestique – c'est un homme d'intérieur qui fait la vaisselle et sort les poubelles. Il se sent en sécurité dans la maison, c'est une barrière que Sarah a érigée pour les protéger du reste du monde. On ne plaisante pas avec une femme qui vient d'avoir un enfant. La sienne lit à la lumière de la lampe, un archipel de crèmes, de couches et de lotions apaisantes autour de son fauteuil. Il éprouve une telle gratitude envers elle. Elle finira bien par embrasser la cause. Elle veut que son fils ait les mêmes chances que les autres, celle de grandir dans un pays qui est le sien.

Deux joggeurs le dépassent, ils courent à bonne allure, le visage tendu par l'effort, ils ne se parlent pas, mais respirent bruyamment.

Il dira tout cela à Sarah en rentrant. Il prendra son visage dans ses mains, son adorable visage avec ses taches de rousseur, il repoussera les cheveux devant ses yeux et lui dira qu'il espère que leur enfant lui ressemblera, qu'il aura sa bouche, son énergie, son honnêteté. Il lui dira tout ça et la fera danser dans la cuisine, pas besoin de musique.

Mais en arrivant, c'est Joe qu'il trouve dans la cuisine, seul, buvant un thé.

« Comment ça va ? lui dit Joe.

— Où est Sarah ?

— Là-bas, elle lit un bouquin. »

Il va au salon, enlève l'enfant du porte-bébé et le pose dans le couffin d'osier, aux pieds de Sarah. Son attitude lui intime de ne pas s'approcher davantage, de ne même pas essayer de l'embrasser.

« Fais-le sortir d'ici, dit-elle.

— Ouais.

— Tout de suite ?

— Ouais. »

Il emmène Joe dans le petit jardin de derrière. Celui-ci parle à voix basse.

« C'est pour demain matin.

— Est-ce que je dois me faire porter pâle ?

— Non, surtout pas, tu fais comme d'habitude.

— Tu en seras ?

— Non. Je n'ai pas encore gagné mes galons. Et puis ça te mettrait dans de beaux draps si ça tournait mal. »

Silence. Joe a encore quelque chose à dire. Brendan attend.

« Est-ce qu'elle va nous poser des problèmes ? »

Brendan se penche. « Mais putain, qu'est-ce que tu dis, là ? »

Joe passe la main dans ses cheveux très courts, son allure martiale n'est plus que l'ombre d'elle-même.

« C'est bon, calme-toi. C'est juste que… tu sais.

— Non, je ne sais pas. »

Dès que la porte d'entrée s'est refermée, Sarah vient dans la cuisine.

« Qu'est-ce qui se passe ?

— Rien.

— Ton frère ne veut même pas voir son neveu ?

— Il devait y aller. C'était juste une petite visite.
— J'imagine. Il est très occupé, hein ?
— Ne commence pas.
— Commencer ? C'est moi qui ai commencé ? C'est toi ! Tu as commencé, continué, et tu as fini. Et moi, je suis censée rester assise dans mon coin à attendre que ça se passe ? »
Elle va chercher le téléphone, décroche. Compose un numéro.
« Qui est-ce que tu appelles ? »
Elle ne répond pas, s'adosse au mur, la tête relevée, à croire qu'elle se prépare à une longue nuit d'attente.
Il se précipite sur elle, saisit le combiné d'une main. La frappe de l'autre.
Il la frappe.
Il la frappe, main ouverte, ce n'est ni une gifle ni un coup de poing, il la pousse violemment au niveau de la mâchoire. C'est vrai, sa paume heurte sa mâchoire, juste sous l'oreille. Le coup est suffisamment fort pour qu'elle essaie de se rattraper au mur, les jambes flageolantes, qui cèdent sous elle. Une main sur sa mâchoire, l'autre en l'air, ouverte, comme si elle voulait prendre la parole dans un débat.
Il ouvre la bouche pour lui parler, mais que dire ?
Il va dans la chambre, prend les carnets sur son bureau et les fourre dans un sac en plastique. L'enfant se met à pleurer, évidemment. Il passe à côté d'elle, dans le couloir, elle écarquille les yeux, incrédule. Il sort sous la pluie, marche pendant vingt minutes jusqu'à ce qu'il trouve une poubelle convenable, y lâche le sac puis la referme tranquillement. Il n'y a personne à part un renard qui l'observe de l'autre côté de la route.

Il se réveille sur le canapé, va dans la chambre chercher ses vêtements de travail. Sarah ne dort pas, sa respiration la trahit : elle a un problème de sinus, et quand elle dort vraiment, elle émet un petit sifflement. Il s'assoit au bout du lit et pose la main sur sa cheville. Il lui dit qu'il est désolé. Qu'il est stressé par son travail, et puis le bébé, et tout le reste, c'est vrai, il ne se reconnaît plus. Elle ne répond pas. Elle retire sa jambe. Malachy est réveillé, il le regarde dans son couffin, inclinant la tête de droite à gauche.

Dans la salle de bains, il décide qu'il lui fera couler un bain plus tard. Il va s'occuper du repassage, lui donner une preuve ferme et concrète de ses bonnes intentions.

Des choses normales. Des pensées normales. C'est à ça qu'il songe en s'habillant. Feindre qu'il s'agisse d'un jour ordinaire, quelques trucs prévus, c'est tout. Il n'y a rien à voir, rien à ressentir, une journée normale, il va aller au travail, rentrer à la maison, préparer le dîner, lui faire couler son bain, écouter le foot en repassant, pas de problème, tout va bien, rien qui ne puisse être sauvé.

Dans le bus, il est anxieux, il n'arrive pas à se contrôler, il ne cesse de regarder autour de lui en se demandant si on le surveille. Le bus s'arrête aux feux sur Kilmorey Street ; il observe la rue d'un côté, de l'autre, convaincu que c'est un piège, qu'on va les attaquer. Mais rien ne se passe, tout le monde vaque à ses occupations comme d'ordinaire.

Il pointe, range sa gamelle dans son casier, consulte la liste du fret qui est arrivé. Il se prépare un café et voit Warwick traverser le parking pour entrer dans le bâtiment des douanes. Celui-ci porte un gâteau. Minuscule détail à l'échelle d'une vie.

En attendant la fin de l'inspection des conteneurs, assis sur son chariot élévateur, il fait des mots croisés. Les routiers passent les uns après les autres, viennent bavarder ; il garde la tête baissée, concentré sur son journal ; il a envie de leur dire de foutre le camp d'ici à toute vitesse.

Ils déchargent un conteneur venant de Portsmouth qui contient des frigos dans des caisses. Il se met à l'œuvre et transporte les palettes dans le coin prévu de l'entrepôt, en avant, en arrière, monter, descendre, ces mouvements répétitifs l'apaisent.

Les énigmes des mots croisés lui vrillent la cervelle – de toute la matinée, il n'en a trouvé que trois. Il regarde la rubrique des courses hippiques : il y a quelque chose de prévu à Newmarket. Il parcourt les noms, il ira peut-être placer un petit pari plus tard, et puis il comprend qu'il n'ira pas.

Warwick traverse la cour en direction du parking. Brendan se fige, descend de son chariot élévateur, allume une cigarette, le regarde faire marche arrière, se diriger vers la sortie, échanger quelques mots avec le gardien dans sa cabine, puis tourner à gauche sur la route, longeant le fleuve.

Que ressent-il à présent, alors que la vie d'un homme va trouver son terme ? De la satisfaction. Il est aussi pragmatique et obstiné que le major Warwick. Il se sent libre, sans remords, différent. Enfin, il tient sa place, il a choisi son camp.

Ce soir-là, le bus fait un détour. À l'étage, il aperçoit la voiture de Warwick entourée d'hommes en combinaison blanche. Des camions de l'armée bloquent le passage. Des journalistes s'agitent autour de la scène, ils parlent aux passants. Les méandres de l'histoire enserrent déjà ce jour.

18

JUILLET 1987. Près de six ans se sont écoulés. Il est de retour à Fermanagh depuis trois ans, depuis la naissance de sa fille, Aoife. Trois ans de pluie intermittente, de prés détrempés, de murs en pierres sèches que plus jamais il ne verra avec le même regard.

Son engagement s'est intensifié après ce jour-là, à Warrenpoint. Mais il a aussi commencé à aspirer à retrouver les champs de Fermanagh. C'est un gars de la campagne jusque dans ses moindres cellules, et ces choses-là ne changent pas. Il a dit à Sarah qu'il voulait que son fils grandisse à la campagne. Quand elle est à nouveau tombée enceinte, il n'a pu se résoudre à élever un autre enfant en ville. Il voulait leur offrir un havre, un endroit loin des bains de sang. Il lui en a parlé au dîner et elle a ri en le traitant d'hypocrite, et de bien d'autres choses encore. Il lui a dit qu'il voulait retourner chez lui, qu'il avait envie qu'elle vienne avec lui, évidemment, mais qu'il ne la supplierait pas.

Il a laissé femme et enfants à Newry. Loué une maison à Whitehill et attendu.

Des jours telles des années.

Enfin, elle l'a appelé. Il est retourné là-bas avec le camion, a emporté toutes leurs affaires. Ils n'ont pas discuté : sa décision à elle, son ultimatum à lui. Aucun d'eux ne voulait y voir une victoire ou une défaite. Une fois, peu après s'être installée, en prenant le thé, elle a dit à sa belle-mère qu'elle comprenait que les grèves de la faim n'avaient laissé aucun espace au compromis. Peut-être que tous les arguments de son mari avaient fini par faire effet.

Il avait l'intention d'abandonner la lutte, seulement la lutte n'était pas terminée, et il s'est senti coupable, comme s'il avait renoncé à donner une signification aux choses. Rentrer chez lui a été une révélation. Ramener sa famille ici, présenter à ses enfants sa propre enfance à lui, cela lui a montré le sens du temps sur le long terme. Jour après jour, en surveillant le bétail de son père, en arpentant les prés non loin de la maison de son enfance, il a compris que ce n'étaient pas seulement les plantes qui sortaient de cette terre, mais aussi une langue, une culture, le courant de la nature qui inondait les synapses et articulait chaque mouvement, chaque pensée, chaque mot qui, goutte à goutte, passait du cerveau à la bouche. Cet endroit, *son* endroit, a réaffirmé son sentiment d'appartenance aux lieux, sa fidélité à son pays. À la terre de son peuple.

Maintenant, il fait partie des chefs de la brigade sud du comté de Fermanagh. Il ne porte pas d'arme : jamais il ne tirera sur quelqu'un, c'est sa position depuis le début. Mais il enrichit les dossiers, trouve les informations, planifie les procédures. Avant son retour, le désordre le plus complet régnait dans la brigade sud de Fermanagh, à présent, c'est un mécanisme d'horlogerie. Fermeté, discipline, et pas d'étrangers, seulement des hommes qu'il connaît depuis l'enfance.

À nouveau, il marche dans les champs non loin de chez ses parents. Pas pour aller voir le bétail – cette fois, il quitte le théâtre des opérations, cherche un refuge, veut se faire oublier. La cible a été éliminée, mais il y a eu des complications au moment du repli. Il a dû se séparer de la voiture. Il attendait dans la Ford Fiesta de Sarah dans une ruelle que deux tireurs arrivent pour les emmener plus loin et changer de véhicule, dernière étape de l'opération. Juste avant qu'ils ne débarquent, une camionnette de déménagement s'est amenée – quelqu'un avait choisi ce jour-là pour déménager. On a vu les tireurs monter dans sa voiture, leurs fusils à canon scié entre les mains. Ils sont partis, mais il a dû abandonner la Ford Fiesta avant d'arriver au premier barrage routier. Ils se retrouveront demain, si tout va bien, pour le débrief. Il va devoir rendre des comptes à Sarah. Peut-être va-t-il tout simplement lui dire que sa voiture a été volée. Plus c'est gros, mieux ça passe. C'est la première fois qu'il s'en sert pour mener une opération.

Il a ordonné aux gars de planquer leurs armes dans un fossé près de chez lui. Il s'en débarrassera plus tard. Il faut improviser, mais ce n'est pas la première fois. Il ne peut pas laisser ces armes n'importe où. Ça va aller. Il s'en occupera plus tard. Une chose à la fois.

Son cœur se calme. Il n'y aura pas de problème. Il doit résister au désir de se mettre à courir. Le bas de son pantalon est trempé. En franchissant une barrière pour entrer sur un autre pré, il voit des lapins détaler, se hâtant vers leur terrier pour s'y réfugier, ce qui n'est pas tellement différent de ce qu'il fait, lui.

En vérité, il aurait pu mieux préparer leur repli. Prendre quelques semaines de plus ou demander de l'aide. Il néglige certaines choses, des détails. Il a de plus en plus de mal à se maintenir à niveau, à rester concentré. C'est en partie dû à la fatigue. Trois ans et demi, c'est long quand on supervise des opérations, qu'on s'assure que tout fonctionne bien, sans anicroche, qu'on définit des cibles, qu'on fait des recherches approfondies dessus, qu'on sert d'infirmier et de psy aux unités armées. C'est en partie dû à ses nerfs. Il sent que les autorités se rapprochent, son nom grimpe dans les priorités de la RUC. À un check-point, il y a quinze jours, le soldat qui lui a rendu son passeport ne voulait pas le lâcher. Pendant peut-être trente secondes s'est déroulée une lutte minuscule entre eux, chacun tenant le passeport, le soldat le regardant droit dans les yeux. Celui-ci savait qui il était. Le lui a fait comprendre sans le dire. Et la manière dont les gens le traitent lorsqu'ils ont affaire à lui. Les fermiers au marché ne plaisantent plus avec lui comme autrefois, leurs conversations sont corsetées, il voit qu'ils cherchent à prendre congé poliment, le plus vite possible. Il est devenu un homme qu'on craint. Ce n'est pas ce qu'il avait en tête, mais c'est la conséquence inéluctable de son efficacité.

Depuis quelque temps, il a perdu tout désir, toute croyance dans la possibilité de changement. Pour lui, il n'a jamais été vraiment question de se battre pour une Irlande réunifiée. Mais plutôt pour une nouvelle façon de gouverner, par et pour le peuple. Ils avaient la possibilité de créer un État débarrassé des élites, non soumis aux forces du marché, un État qui disposerait d'une volonté et d'une capacité à agir suffisantes pour répondre aux besoins des gens. La fin des classes défavorisées. La fin de l'exploitation des travailleurs. Les grèves de la faim avaient un objectif pur. C'est en cela qu'elles étaient puissantes.

Mais ces derniers temps, il assiste à une lente évolution rampante qui mène à une politique parlementaire. Il a vu des hommes sur des estrades absorber toute l'attention, l'adulation des foules. Les politiques constitutionnelles mènent nécessairement au culte de l'individu. Et ces individus sont inévitablement des hommes gorgés d'eux-mêmes, gonflés de leur propre importance. Dans les rassemblements, il sent qu'il n'y a plus de passion derrière leurs objectifs. Leurs chefs ne sont plus des visionnaires mais des vendeurs de voitures d'occasion qui débitent des phrases dépourvues de sens, dont les mots ont été choisis parce qu'ils attirent les suffrages lors des élections. Quant à la rage si puissante du peuple dans la rue, elle a été diluée ; la force du sacrifice a perdu son aura. Les grévistes de la faim sont devenus des icônes, leurs actes sont exsangues.

Il se rapproche de la maison de ses parents. Il va lui falloir trouver une excuse pour expliquer sa présence. S'il dit qu'il est tombé en panne, son père insistera pour aller jeter un coup d'œil à sa voiture. La seule chose que sache faire ce dernier, c'est commander son fils. Quelle que soit la hauteur à laquelle celui-ci s'élève, son vieux sera toujours là pour briser quelques barreaux de l'échelle avec joie.

Quand Brendan est revenu s'installer sur place, son père a pris sa retraite et lui a transmis son camion. Le moteur, la base, le châssis sont toujours les mêmes, mais il l'a fait sien, et le véhicule n'a plus la même allure. Il a arraché les planches orange sur les côtés, retiré le cadre. Il l'a remplacé par un treillis soudé et de la tôle ondulée qu'il a peints avec de la peinture anticorrosion. L'ensemble présente mieux, mais le bétail y grimpe avec réticence : les bœufs montent à reculons sur la rampe, puis bondissent quand il leur donne des coups de bâton. Il le laisse garé dans l'allée de ses parents car il n'a pas la place à Whitehill. Il va peut-être l'utiliser pour récupérer les enfants, ce soir, puis pour aller chercher Sarah ; elle ne sera sans doute guère enthousiaste.

Il entre sans frapper, ce n'est pas nécessaire, et il trouve les enfants à table, qui enfournent du boudin noir et des haricots. Ils ont les cheveux mouillés : ils ont passé l'après-midi dans le jardin avec leur mamie. La radio est allumée, branchée sur la station locale, on fait le récit d'un match qui a eu lieu à Enniskillen – ce ton dramatique et trop fleuri des hommes de l'Association athlétique gaélique lorsqu'ils racontent un événement sportif, on dirait qu'une pièce de théâtre se joue dans leur cerveau. Il embrasse ses enfants sur la tête. En général, il ne se montre pas si affectueux, mais il est tellement soulagé de les voir, un pas dans la normalité le calme.

« Ça va, mon fils ? dit sa mère.

— Ouais, ça va.

— Tu n'as pas l'air dans ton assiette.

— Ah, je me suis dépêché pour faire le plus de trucs possible pendant qu'ils n'étaient pas là. Ils ne vous ont pas trop embêtés ?

— Pas du tout. Ce sont de bons petits travailleurs. »

Il va mettre la bouilloire à chauffer. Un thé chaud, il mérite bien ça. À la radio commence le bulletin d'informations. Il voudrait l'éteindre mais sa mère est déjà aux aguets et augmente le volume. Elle est accro aux infos. À la télé, elle regarde le journal de 18 heures, puis de 20 heures. C'est une obligation morale pour elle, une autre facette de sa dévotion. Il respecte cela. Certaines personnes décident de faire l'autruche face aux événements qui les entourent, mais ça ne correspond pas à son sens de l'éducation à elle.

Un catholique a été tué dans la boutique d'un bookmaker à Fivemiletown.

Il se retourne vers sa mère, désigne les enfants d'un geste impatient. Elle hoche la tête, éteint la radio.

Un catholique tué à Fivemiletown.

Un catholique.

« Tu en veux une tasse ?

— Oui, vas-y. »

Il déniche des biscuits dans le placard, les pose sur une assiette. Il ébouillante la théière, y jette quelques sachets de thé, verse l'eau, pose le tout sur la table. Il regarde ses mains pour voir si un tremblement pourrait le trahir, mais elles ne tremblent pas. Il évite de croiser le regard de sa mère, ce qui n'est pas difficile, ça ne sort pas de leurs habitudes. Il sirote son thé en regardant par la fenêtre. Il se retourne et interroge Malachy sur ce qu'il a fait au jardin. Le petit garçon a du ketchup sur la figure, il s'en occupera plus tard. De sa petite voix, Malachy lui raconte ce qu'il y a dans la serre de sa grand-mère. Ils ont désherbé et taillé les gourmands des plants de tomates. Malachy est bavard, trait de caractère dont il lui sait gré à cet instant – cela lui donne le temps de reprendre ses esprits.

C'est sa faute. Il s'en rend compte tout de suite. Il y a quelques semaines, il a vu une voiture sortir de la station-service à Maguiresbridge, une Chrysler Alpine verte. Il se souvenait l'avoir vue des années plus tôt quand elle venait chez leur voisin, Cecil Cox, le réserviste de la RUC. C'était une voiture unique en son genre. Il a suivi la Chrysler, juste pour être sûr, et elle est allée à la caserne de la RUC, en ville. Une ou deux semaines plus tard, il l'a revue à la même station-service – il s'était mis en devoir d'y retourner régulièrement. Cette fois, il l'a suivie jusque chez un bookmaker, c'était un samedi, et il en a conclu que l'homme avait un faible pour les chevaux, un faible fatal dans son cas, même si le type n'en savait rien.

Quel genre de catholique se rend dans une caserne de la RUC ?

Son thé n'a aucun goût, mais bon, le thé n'a pas de goût.

Il regarde la cuisine, sa mère, ne ressent rien. C'est une maison étrangère, avec une étrangère dedans, mais n'en a-t-il pas toujours été ainsi ? Il se sent vide ; son corps ne réagit pas. Il regarde ses enfants, éprouve de l'amour, de la fierté, mais tout ça est très théorique, c'est un concept abstrait, comme s'il répondait à un questionnaire.

Il est engourdi.

La seule chose surprenante, c'est que cet engourdissement ne résulte pas d'un choc. Il y a longtemps que c'est ainsi – il le comprend à présent.

Il est absent à lui-même. La seule raison pour laquelle il le remarque en cet instant, c'est parce qu'il est certain qu'il *devrait* ressentir quelque chose : regret, révulsion, peur. Il songe à la cousine de sa mère, Bridie, Dieu ait son âme, si calme, si monotone, non parce qu'elle avait trouvé la paix intérieure, cette foi rassurante qu'elle avait si pieusement épousée, mais parce qu'elle s'était fossilisée. Réprimez quelque chose suffisamment longtemps et vous finirez si contracté que plus rien ne pourra entrer ni sortir. Regardez son père. Il n'arrive même pas à trouver la motivation suffisante pour déplacer des pièces sur un échiquier, le jardin est envahi d'herbes folles. Il ne s'est même pas mis à boire, de crainte de laisser sortir ses émotions. Difficile d'effacer les traces de votre enfance.

« Rouge-gorge, dit Aoife.

— Oui, parle-lui du rouge-gorge », ajoute sa grand-mère.

Son esprit revient aux détails pratiques. Il doit se débarrasser des armes qu'il a planquées chez lui. Il ne peut plus compter sur le silence des gens à présent, certains pourraient parler. Ils auront trouvé la voiture de Sarah d'ici ce soir. Les déménageurs seront interrogés. Assez de sentiments, le boulot l'attend. Il y a des armes encore brûlantes dans un fossé juste derrière sa maison. Il pose sa tasse dans l'évier.

« Allez, vous deux, il est temps d'y aller. »

Ils n'ont pas terminé. Lèvent les yeux.

« Allez, on y va.

— Laisse-les tranquilles, Brendan.

— On y va. »

Il attrape Aoife dans ses bras ; elle tient encore sa fourchette. Elle crie devant ce changement soudain. Il tente de lui arracher la fourchette, doit se battre pour la lui retirer.

« Allez », dit-il à Malachy qui, habitué aux ordres, montre moins de résistance.

Sa mère le regarde, elle voudrait dire quelque chose mais retient sa langue. Élever de jeunes enfants n'est jamais facile.

Dans le camion à bétail, ils vont à l'hôpital chercher Sarah. On les arrête à un barrage routier. Il y a sans doute des journalistes sur place à présent qui posent des questions, cherchent des informations.

Le soldat lui demande où il va.

« À l'Erne Hospital, chercher leur mère.

— Drôle de mode de transport que vous avez là.

— Ouais. L'autre est au garage.

— C'est vrai ? »

Le soldat fait un signe à ses collègues, une main sur la crosse de son fusil. Il leur indique qu'il faut vérifier le contenu du camion. Ils regardent à travers les lattes. Rien de suspect. L'un d'eux grimpe sur les côtés, passe tout en revue. Pas de problème. On les laisse repartir. Ils doublent un homme dont on est en train de vider la voiture, deux soldats jettent par terre le contenu de son coffre, l'homme a les deux mains posées sur le toit du véhicule, une quantité d'armes autour de lui.

Ils attendent devant l'entrée de l'hôpital, ils sont en avance. Les enfants sont toujours fâchés, ils geignent et pleurnichent. Il demande à Aoife comment il fait, le chien, et puis la vache, et puis le chat. Elle ne mord pas à l'hameçon, continue de lui faire la tête.

Quand Sarah arrive, les enfants sont toujours de mauvaise humeur.

« Où est ma voiture ? demande-t-elle.

— On a eu une panne.

— Et tu ne pouvais pas emprunter celle de ton père ?

— Il en avait besoin.

— Tu parles ! Tu ne peux pas transporter les enfants dans ce truc, Brendan. Regarde leurs têtes, ils sont tout grognons.

— On a été arrêtés à un check-point, ça les a secoués. »

Elle monte dans le camion, prend Aoife sur ses genoux. Il démarre. La circulation est si dense qu'ils roulent au pas, inutile de mettre les ceintures de sécurité. Sarah fait de grands gestes, étend complètement les bras – elle fait ça lorsqu'elle est agacée.

« Tu n'étais pas obligé de les amener, tu aurais pu les laisser chez tes parents.

— J'ai fait assez d'allées et venues comme ça pour aujourd'hui.

— Non, c'est vrai ? Dieu ait pitié de toi. Tu es un peu fatigué aujourd'hui, c'est ça ?

— La tondeuse avait besoin d'être réparée, il a fallu que j'aille à la jardinerie.

— Tu as entendu ce qui s'est passé à Fivemiletown ?

— Oui. »

Est-ce qu'elle le teste ? Il n'en est pas certain. Il va se montrer franc. Elle ne l'interrogera pas devant les enfants.

Les absences pèsent sur leur couple. Il est tout le temps dehors. Elle a raison : il comprend sa position.

Ils sont de nouveau à l'arrêt. Long bouchon aux abords de la ville. Il a envie d'allumer la radio mais s'abstient, il ne le fera pas. Ça n'aiderait en rien.

Sarah joue avec les enfants. Ça les calme, les distrait. Il garde le silence.

Elle est résolue, se plaint rarement, accepte la situation. Il ne tient rien pour acquis. Elle aurait pu mener bien d'autres vies. Elle ne parle pas de leur maison trop petite, de l'absence de culture, d'érudition. Ses parents viennent au mieux une fois l'an. Il sait qu'ils tordent le nez devant cet endroit, même son père à elle, rendez-vous compte : leur fille perdue dans les chemins de terre – pourtant elle ne se plaint pas. Son emploi d'infirmière, sans doute, est un atout pour lui. Difficile de passer son temps à geindre quand on travaille auprès des malades. Elle reconstruit les gens ; il les détruit. Le paradoxe ne lui a pas échappé. C'est peut-être ça qui fait tenir leur couple. La vie trouve son équilibre dans les opposés.

Au barrage routier, le soldat voit son uniforme d'infirmière et ne prend même pas la peine de taper à leur fenêtre.

Il croyait qu'il lui incomberait à lui de les mettre à l'aise, de les rassurer. Peut-être un jour, si les rôles changent. N'est-ce pas ça, la vie de couple, se mettre dans la peau de l'autre ?

En arrivant à la maison, il prend leurs cahiers à dessins et ils restent dehors jusqu'à l'heure du bain. Les enfants lui pardonnent sa mauvaise humeur de tout à l'heure. Il les met au lit, ils partagent la même chambre. C'est l'aîné, Malachy, qui choisit la lecture du soir. Aoife approuve son choix, elle est raisonnable, fiable. De qui a-t-elle hérité cette qualité ? Extinction des feux.

Il sort de la chambre, les laisse dormir, revient dix minutes après pour jeter un coup d'œil dans la lumière de la porte ouverte. La respiration tranquille de ses enfants est le bruit le plus apaisant au monde. Il reste là un temps indéfini. Il pourrait s'endormir, appuyé contre l'encadrement de la porte.

Un catholique. *Shane Moore*. Il a entendu son nom aux infos à la télé, qui est allumée dans le salon. Il ne veut pas écouter le reste, ne veut pas connaître les détails.

Il ne laisse pas la culpabilité s'installer ; il a appris à lui faire barrage il y a quelques années. À la guerre, il y a des pertes. Des dommages collatéraux. Il n'a jamais voulu infliger ça aux siens. Il regarde Malachy, il sait qu'un jour son fils lui demandera des comptes, et songe qu'il s'en acquittera avec fierté. Il racontera comment il a défendu son peuple contre l'occupant, lui dira qu'une Irlande libre et juste est née de la douleur des autres. Il lui expliquera ce qu'est le découpage électoral, que les siens autrefois étaient des citoyens de seconde zone sur leur propre terre. Il lui dira que rien n'est donné, qu'il faut faire des sacrifices. La famille Moore a la chance de devenir partie intégrante d'une noble cause. C'est un cadeau, d'une certaine manière, même s'ils ne s'en rendent pas compte aujourd'hui.

Il se raconte tout ça à lui-même, il essaie, oui il essaie sincèrement de s'en persuader. La discipline, voilà tout ce qu'il faut pour se forger une nouvelle perspective sur le monde. La discipline et la lecture, qui sont la même chose, en fait, si on y réfléchit. Vivacité du corps, agilité de l'esprit.

Assez d'activités domestiques. Il doit se débarrasser des armes. Il a une règle d'airain : ne pas céder à la panique. Que tout le monde dans la maison croie que les choses se passent normalement, et il finira par y croire lui-même. Il se lave les mains dans la salle de bains, se glisse par la porte de derrière.

Il ne fait pas encore nuit, mais ce serait stupide d'attendre davantage. Qui sait quand on va enfoncer leur porte ? Il franchit l'échalier au fond du jardin, pénètre dans le champ du voisin.

Le fossé est au bout. Il espère que les gars l'ont trouvé, ne se sont pas trompés. Il y arrive, s'agenouille tout en regardant bien autour de lui, il s'attend presque à ce que la campagne se lève pour le regarder, à voir les troupes du SAS émerger en tenue de camouflage. Il reprend sa respiration. Écoute. Rien.

S'il veut déplacer les armes, c'est maintenant. Il remonte ses manches, plonge les mains dans l'eau boueuse. Il ne sent rien. Il enfonce les bras, ses doigts pénètrent le doux limon au fond, l'eau froide glisse sur sa peau, il avance, courbé, cherchant sa proie. Il aurait dû leur dire de laisser une marque pour lui éviter cette corvée, mais bon, ça aurait pu poser problème. Cinq minutes se transforment en dix. Il ne sent plus ses mains engourdies ; il ne sait même pas si à ce stade, il sera capable de reconnaître le métal au toucher. Peut-être qu'ils ont laissé les armes ailleurs, que le fossé ne leur convenait pas. L'inquiétude le gagne – il ne peut pas les appeler, il ne peut pas aller leur poser la question, leurs maisons sont peut-être surveillées. Et puis enfin, ses doigts rencontrent quelque chose de dur et longiligne. Un fusil. Il le sort, le pose à côté de lui. Pas d'embuscade, donc, maintenant, c'est sûr. Ils lui auraient déjà sauté dessus s'ils l'avaient surveillé.

Un autre fusil. Il le pose aussi par terre, frappe dans ses mains pour que le sang se remette à circuler, puis les essuie sur son pantalon.

La lumière diminue peu à peu. À nouveau il tend l'oreille. Il est seul.

Il traverse les champs pour aller jusqu'au lac. Ça lui prend un quart d'heure, il sent chaque minute passer. Il est tellement exposé. Si jamais il se fait prendre avec les fusils, impossible de fournir la moindre explication. Enfin, il arrive, cache les armes et va s'assurer qu'il n'y a personne sur la jetée. Il revient chercher les fusils, les met dans la barque de son oncle, la pousse sur l'eau, y grimpe. Il rame jusqu'à Namafin Island. Là-bas, il y a une cache d'armes. Il serait tentant de lâcher les fusils dans le lac pour s'en débarrasser. Mais ils ont reçu des instructions strictes : pas de solutions de facilité. Ils n'ont pas les moyens de baisser la garde. La cache d'armes est trop précieuse pour risquer de laisser des traces.

Pourtant, ça lui fait du bien d'être dehors. Le calme de la lumière du soir, voilà ce dont il a besoin. Pour s'éclaircir la tête. Repousser tout blâme. Il ne pouvait pas savoir. Certes, il aurait dû être plus minutieux, transmettre le numéro d'immatriculation à leur contact au service des impôts, mais il était sûr de lui. Il aurait juré avoir reconnu l'homme en question même avec un canon sur la tempe – ce qui risque de lui arriver.

Il atteint la petite anse, amarre la barque. Il attend, écoute : rien. Il suit le sentier dans le crépuscule, arrive enfin aux ruines, descend l'escalier qu'il a aidé à construire. À l'intérieur du bunker, il appuie les deux fusils contre le mur. Il se demande s'il aurait dû prendre des précautions pour montrer qu'il ne faut pas les utiliser, mais la boue restée dessus devrait être suffisamment explicite. En outre, il est peu probable que quiconque vienne ici sans d'abord l'en informer. Des boîtes en métal vertes s'empilent à travers la pièce. Il y a là assez d'artillerie pour faire la différence si jamais le jour J arrive.

Sarah dort quand il rentre. Il se coule contre elle. Elle est trop profondément endormie pour protester. Il lui sait gré de la chaleur de son corps.

Il lui raconte au matin. Il n'a pas dormi, a réfléchi à sa décision tout en regardant les ombres dériver au plafond. Il va sûrement y avoir une descente chez eux, inutile de le nier, son instinct le lui dit. Elle est choquée, en colère, mais pas plus qu'il ne s'y attendait. Il passe très vite aux détails pratiques, c'est un langage qu'elle comprend : elle et les enfants iront séjourner quelque temps chez ses parents à lui jusqu'à ce que ça passe. Elle le menace de repartir pour Belfast, mais il sait qu'elle ne le fera pas. Elle aurait déjà eu moult raisons de le faire.

Il les amène chez ses parents – toujours en camion – avant même qu'ils aient pris leur petit déjeuner. Malachy couchera dans l'ancienne chambre de Brendan, les posters de tracteurs sont encore accrochés au plafond de sa mansarde. Aoife dormira avec Sarah, elle lui tiendra compagnie. Son père est toujours au lit ; sa mère s'affaire dans la cuisine, encore en robe de chambre. Quand ils entrent, elle se fige, une cuillère à la main.

Il l'emmène dans le couloir.

« Il faut que Sarah et les enfants restent ici quelques jours.

— Pourquoi ? Qu'est-ce qui se passe ?

— Je crois qu'ils vont faire une descente chez nous. »

La honte sur le visage de sa mère est pour lui comme un coup de poing dans le ventre. Il ne lui a pas vu cet air-là depuis l'enfance. Y a-t-il donc toute une panoplie d'expressions derrière ses yeux ?

Sarah commence à préparer des œufs ; déjà, elle transforme la situation en aventure pour les enfants. Il sort dans la cour pour s'occuper. Il ne veut pas manger avec eux – qu'ils vaquent à leurs occupations. Il rentre pour emmener Malachy à l'école.

Le petit garçon est ravi de grimper dans le gros camion. Il se penche vers le pare-brise et regarde la route, roi des terres à la ronde.

Tommy Devine, son commandant des opérations, l'attend de l'autre côté de la rue lorsqu'il ressort de l'école. Il revient au camion et suit Devine pendant quelques kilomètres, jusqu'à une vieille carrière. Devine descend de voiture, s'approche du camion. Il a beau avoir la soixantaine, c'est une armoire à glace, des mains énormes, une vie passée sur les chantiers.

« T'as foutu un sacré bordel, hein ?

— Je ne savais pas qu'il était catholique.

— Tu ne t'es pas suffisamment renseigné. Tu es devenu négligent. Je t'ai trop lâché la bride. Comment t'a pu être si con ? Maintenant moi aussi, je suis sur le gril. »

Il n'a jamais eu de respect pour Devine. Celui-ci aime trop la boisson, c'est un électron libre qui planifie ses propres opérations sur un coup de tête. Brutal, imprévisible. Plus d'une fois Brendan l'a sorti de la mouise.

« Il faut que tu ailles à Dundalk », ajoute Devine. Dundalk est dans le Sud, là, on ne peut poursuivre Brendan.

« Je ne ferai pas déménager ma famille.

— Ce n'est pas une demande.

— OK. Alors vas-y, descends-moi. »

Devine attend, laisse passer du temps.

« Les autres sont déjà là-bas.

— Avec leurs femmes et leurs gamins en bas âge ?

— On se débrouillera, t'inquiète pas pour ça.

— Ouais, j'ai vu à quoi ça ressemblait. »

Devine se tait à nouveau. C'est inutile. Est-ce qu'il croit vraiment que Brendan va changer d'avis après une minute de silence ?

Il retourne à Whitehill. Attend l'inéluctable. Il dort tout habillé sur le canapé : ils ne le prendront pas en pyjama. Le lendemain matin il est censé aller à Clones chercher du bétail. Il appelle pour annuler. Le fermier dira du mal de lui à tout le monde dans le secteur, se plaindra qu'il ne veut pas gagner sa vie. Mais il le fallait. Il ne veut pas que les soldats investissent sa maison en son absence. Il déteste attendre, il déteste l'oisiveté. Il décide de refaire la chambre, autant utiliser ce temps à bon escient. Cela radoucira même peut-être Sarah lorsqu'elle reviendra enfin à la maison.

Il achète du papier peint au magasin de bricolage, en ville, des fleurs bleues sur un fond crème. Il lessive les murs de leur chambre à l'eau chaude, puis se met à gratter. Il ne retourne pas chez ses parents, ne les appelle même pas, inutile de bouleverser l'équilibre des choses.

Le téléphone ne sonne pas.

Nul ne cogne à la porte.

Pas de nouvelles du reste de l'équipe ni de sa hiérarchie – ils gardent leurs distances pour l'instant, c'est la procédure. Le matin, il avale du porridge. Il fait rôtir un poulet, en mange plusieurs jours d'affilée, jusqu'à ce qu'il soit fini. Ensuite il en fait rôtir un autre. Il termine la chambre et passe au couloir. Il achète l'*Irish News* en allant chercher de la peinture. En titre : L'IRA SUSPEND CEUX QUI ONT MENÉ L'OPÉRATION MOORE. Ce n'est guère surprenant, mais ils auraient pu au moins le lui dire avant que ça filtre dans la presse. Il peint le couloir couleur crème. Puis les chambres des enfants.

Encore deux jours, ça fait une semaine. Une Opel Kadett arrive dans l'allée. Au bruit du moteur, il reconnaît le modèle. Enfin, il peut passer à autre chose, encaisser la réprimande, ramener ses enfants à la maison.

Devine sort de la voiture, Brendan ne reconnaît pas les deux hommes à l'avant.

Son supérieur avise les taches de peinture sur ses vêtements. « Tu es à fond, là ?

— Ouais, ça m'occupe.

— Tu as du temps à tuer.

— Ouais.

— Y a pire manière de le faire.

— Ouais, je deviens raisonnable en vieillissant.

— On va passer quelques jours à Dundalk. Vaudrait mieux que tu la préviennes. »

Quelques jours, c'est le minimum – une séance de débriefing est inévitable.

« OK. Tu me laisses une minute.

— Ouais, pas de problème. » Devine regarde par la porte ouverte. « Crème, c'est ça ? Maura m'a demandé la même chose, ça te dérange si je jette un coup d'œil ? »

Cette politesse le met à cran. Ce n'est pas le genre de Devine de prendre des gants. Il monte, se change, jette quelques affaires dans un sac de sport. Il écrit un mot à Sarah sur son papier à lettres, ferme l'enveloppe, la laisse sur la commode. Il ne précise pas où il va, juste qu'il sera absent quelques jours. Il ne lui dit pas qu'il l'aime ; il ne veut pas en faire trop, vu les circonstances.

Il redescend. Devine est toujours dans le couloir, bras croisés. Brendan s'apprête à sortir.

« Tu l'appelles pas ?

— J'ai laissé un mot.

— Faut que je voie ça.

— Tu te fous de ma gueule ?

— Non. »

Il remonte, descend l'enveloppe sans la décacheter – autant que Devine se sente gêné.

Mais non. Celui-ci déchire l'enveloppe. Lit. Pose le mot sur la cheminée. « Tu es un charmeur, toi, dit-il.

— Va te faire foutre. »

Ils roulent pendant deux heures, prennent des petites routes de campagne sans check-points. D'après les quelques mots que les hommes échangent à l'avant, il déduit qu'ils sont de Belfast. Sans doute des gradés, membres de la sécurité interne.

Ils se garent devant une maison à étage aux abords de la ville. Il n'y a pas de voisins. C'est le genre d'endroit où on peut faire du bruit sans risque d'être entendu.

Devine l'emmène dans une pièce en haut. C'est l'après-midi mais les rideaux sont tirés et un drap a été suspendu devant – la pièce est baignée d'une lueur blafarde. Dedans, il n'y a rien, à part une chaise face au mur opposé à la fenêtre. Il s'assoit. Deux hommes entrent ; il ne voit pas leurs visages, mais à leur corpulence il comprend que ce ne sont pas ceux de la voiture. Sans doute d'ex-prisonniers : voilà le genre de sale boulot qu'on confie à des membres qui ont été signalés. Devine les laisse.

Comment as-tu choisi ta cible ?

Il explique le lien ancien avec Cox. Leur parle de la station-service, du fait que la Chrysler est entrée dans la caserne de la RUC.

L'un d'eux murmure à son oreille. Il lui dit que Shane Moore travaillait pour la compagnie nationale du gaz, il s'était sans doute rendu là-bas pour vérifier le compteur.

Il sent l'haleine de l'homme, c'est un fumeur. Quelles que soient les émotions qu'ils tentent de faire naître chez Brendan, ça ne marche pas. Il n'est pas intimidé : il a commis une erreur, mais ça ne vaut pas la peine de mort.

Tout ce qu'il arrive à se dire, c'est que l'autre aurait dû refuser d'entrer dans une caserne. Ce n'est pas un endroit pour un catholique. S'il était trop bête pour comprendre ça, peut-être qu'il mérite ce qui lui est arrivé. Il prononce ces paroles à haute voix, pense que ça peut faire bonne impression, réaffirmer son engagement pour la cause. Les hommes ne répondent pas.

Ils lui posent des questions sur ses relations avec Cecil Cox. Ils lui posent des questions sur les relations de son père avec Cecil Cox. Celui-ci n'est plus en Irlande depuis quinze ans. Voilà ce qu'il leur dit. Être ami avec un membre de la RUC – même s'il n'est plus là –, c'est trop pour qu'il se sente à l'aise. La ligne des questions le déstabilise, il est en terrain plus délicat qu'il ne l'aurait cru.

Pourquoi tu voulais faire tuer cet homme ? Tu pensais qu'il savait quelque chose ?

Parle-nous encore de ton père. On a appris qu'il s'était occupé de vendre le bétail de Cox après son départ.

Il a été entraîné à résister lors d'un interrogatoire, mais ça ne marche que si on a affaire à la police. Là, c'est plus dur : il ne peut pas se contenter de garder le silence, il doit rester ouvert et docile, ne pas montrer qu'il choisit ses mots. Il leur raconte l'histoire de son père. Leur parle de Cecil Cox. Essaie de ne pas le dépeindre sous un jour trop favorable, mais n'en dit pas de mal non plus. Il est aussi franc que possible.

Que fait ton père maintenant, puisque c'est toi qui as son camion ?

Il leur dit qu'il est retraité.

Donc il a beaucoup de temps libre. Et des tas d'occasions pour parler à tort et à travers.

Il répond qu'il n'est pas responsable de son père. S'ils pensent que c'est une taupe, ils n'ont qu'à le faire venir ici pour l'interroger. Ça leur cloue le bec.

Sur les murs, la lumière diminue. Il ne sait pas depuis combien de temps ils sont là. Ils lui reparlent de la station-service, il se répète en essayant d'omettre les détails, car il sait que c'est le signe qu'on ment. Il a soif, mais ne veut pas demander à boire. En cet instant, la soif est une faiblesse.

Ils lui parlent de l'opération. Il leur en donne les détails. Ils veulent son emploi du temps précis, pour tenter de déterminer s'il a eu la possibilité de rencontrer la police, de tout balancer. Encore et encore. L'incident se rejoue, toujours sous le même angle. Il n'y en a pas d'autre. Que ce qu'il a vécu.

Bien sûr qu'ils ont interrogé Marco et Dunner, les deux tireurs. Jusqu'où seront-ils loyaux ? pense-t-il. Il se demande s'ils se soucient tant que ça de Moore ou si c'est une feinte. En tout cas, lui ne partage pas cette considération. Cet homme n'est qu'un nom parmi d'autres. Il y a des choses plus importantes. L'histoire est toujours plus vaste, plus puissante, plus importante que l'individu.

Murmure à son oreille : *Tu as mis le mouvement dans une position difficile.* Cet homme ne sait-il pas que le mouvement est assez fort pour supporter tous les revers ? Le mouvement n'est pas un choix, il est inexorable.

Ils sortent. Devine revient.

« Tu es toujours suspendu.
— Ouais, ils me l'ont fait comprendre. »

Les choses reviennent à la normale. Il va chez ses parents. Sa mère le regarde à nouveau. Elle a choisi la voie que suivent beaucoup de mères : elle n'a pas d'autre solution que les excuses et le mensonge. Les enfants posent plein de questions. Est-ce qu'il leur a rapporté quelque chose de son voyage ? Est-ce qu'il est allé à la plage ? Il leur montre ses bras, leur dit que les taches de peinture sont des taches de rousseur. Aoife le croit ; Malachy est moins crédule. Una est venue passer quelques jours. Elle refuse de le regarder. Elle est hors de sa portée à présent, inutile d'essayer de la convaincre, elle décortiquerait la moindre phrase sortant de sa bouche. Son père mange en silence, regarde la télévision. Il l'emmènerait bien à la pêche, mais il doit rester à l'écart du lac.

19

Août. Il se remet à écrire la nuit, à la table de la cuisine. Des mémoires, en quelque sorte, même si personne ne les lira jamais. Il écrit sur sa tante Bridie, avec sa blouse grise, qui écoutait « Sunday Miscellany » à la radio. Sa Morris Minor. Il écrit sur leurs vacances en caravane à Bundoran, il était petit et jouait sur ces machines où des pennies s'accumulaient, prêts à tomber, juste au-dessus de là où on insérait les pièces : Joe et lui étaient fascinés. Le mini-golf : il était le premier arrivé et le dernier à repartir, il pensait pouvoir maîtriser le jeu, faisait comme si c'était un vrai sport. Les filles jouaient au tennis en jean et en pull, et cette façon de bouger les pieds, de se trémousser sur le court en une espèce de danse, et leurs hanches qui bougeaient d'un coup lorsqu'elles frappaient la balle, grognant sous l'effort. Il ne sait pas pourquoi il fait ça ; ça lui nettoie l'esprit, lui rappelle qui il était avant de devenir qui il est.

Devine lui envoie un message disant qu'il veut le voir vendredi, tôt en début de soirée. Quand les phares apparaissent dans l'allée, Sarah le regarde, secoue la tête, ses yeux s'emplissent de larmes. Elle pensait que c'était fini, qu'il ne trempait plus là-dedans, que Moore était sa dernière mission. Il ne lui a pas vraiment dit ça ainsi, mais il ne l'a pas détrompée. Il y a longtemps qu'il ne l'a pas vue pleurer. Il s'apprête à ajouter quelque chose, mais il s'arrête. On dirait une vieille femme, elle a les bras qui tremblent ; elle lui rappelle un peu Mrs Donnelly, autrefois. Elle a payé le prix à sa place, sans aucun doute.

Il s'assoit sur le siège passager. Ils sont en tête à tête. « Personne d'autre, dit-il.

— Non. Pas ce soir.

— On va où ?

— À Clones.

— Tu es sérieux ?

— J'ai l'air de plaisanter ? »

Clones est de l'autre côté de la frontière. C'est là que se réunit la brigade sud du comté d'Armagh pour préparer les grandes opérations.

Ils s'arrêtent dans une petite ferme complètement paumée. Machines en morceaux éparpillés, sacs d'engrais sur des palettes, vieilles fenêtres et pans de tôle ondulée empilés contre des granges. Quelques chiens efflanqués leur jettent des regards méfiants.

Il suit Devine jusqu'à la ferme, trois voitures avec des plaques d'Irlande du Nord sont garées là. Tout ça ne lui plaît pas. Il n'a pas encore été réhabilité par la hiérarchie. Officiellement, il est toujours suspendu. Il pourrait s'agir d'un interrogatoire plus poussé, avec quelque chose au bout ; il a jeté l'opprobre sur le mouvement, attiré l'attention sur lui. S'ils voulaient le supprimer, c'est exactement le genre d'endroit qu'ils choisiraient. Il pense à s'enfuir, mais où irait-il ? Et même s'il s'échappait, il y aurait des répercussions contre Sarah, et même peut-être contre Joe et Una.

Ils entrent dans une cuisine remplie de fumée. Cinq hommes jouent aux cartes – au milieu de la table, un cendrier plein et une demi-bouteille de whiskey. Joe est là. Brendan éprouve un tel soulagement qu'il en pleurerait. Ils ne le supprimeront pas devant son frère. C'est déjà arrivé que des membres de la famille participent à un test de loyauté, mais ça, Joe ne le tolérerait pas, même s'ils lui mettaient la pression.

Celui-ci pose ses cartes et vient vers lui. Les autres continuent à bavarder, l'atmosphère est intense. Les deux frères restent à la porte. Ils ne se sont pas vus depuis Noël. Joe a pris quelques kilos, il a l'air bien portant, satisfait de lui-même, pas exactement l'allure d'un guerrier lacédémonien.

« Comment vont les petits ? demande-t-il à voix basse.

— Mais putain, pourquoi tu poses la question ? Ils savent à peine qui tu es.

— J'ai été un peu occupé.

— Évidemment. On est tous occupés, Joe. »

Celui-ci lui lance un regard dur. *Ne commence pas. Pas ici.*

Un homme arrive. C'est Cathal, avec son accent du Donegal, il l'a déjà rencontré à Carlingford. Il a vieilli, son autorité est encore plus évidente. Il porte désormais une barbe sombre, a pris du muscle. Il a toujours cette allure déterminée, cette poignée de main ferme, pas trace de l'éclat luisant du whiskey dans ses yeux, pas comme Joe. Il a l'assurance de celui qui commande. « Heureux de te revoir, dit-il à Brendan. Toute cette affaire Moore a été un sacré fiasco, mais il faut passer à autre chose. »

Brendan se contente de hocher la tête. *Reste calme,* se dit-il à lui-même.

Cathal se tourne vers les autres et annonce qu'ils vont commencer. Les joueurs posent immédiatement leurs cartes sans rechigner et passent au salon où ils s'assoient autour du feu. Debout devant eux, Cathal se lance dans un discours sans préambule.

Son propos est clair, il sait de quoi il parle. Il exprime des pensées qui tournent dans la tête de Brendan depuis des mois. La situation commence à pourrir. L'IRA est de plus en plus ramenée au second plan dans la lutte. Les ressources du mouvement républicain sont dirigées vers la politique institutionnelle. Les dirigeants du Sinn Féin à Belfast sont en train de mettre un terme à la lutte armée par bêtise ou par ruse. Ils pratiquent une politique de caniveau, et voilà où ça les a menés. Treize pour cent aux élections européennes. Face à une telle faiblesse, il est de plus en plus impossible de convaincre les gens du Sud de soutenir leur cause. Or ils ont besoin d'un mouvement de masse au sud de la frontière qui puisse être canalisé lors d'une nouvelle campagne militaire. Ils avaient bâti leurs campagnes sur des fondations solides, mais le Sinn Féin a fait s'écrouler ces fondations.

Brendan s'est déjà retrouvé en pareille situation – revue des troupes, réunions, planification des réunions –, mais il n'a jamais vu quelqu'un occuper l'espace comme ça. D'habitude, on entend de vagues plaisanteries, quelques railleries pour détendre l'atmosphère. Pas cette fois.

Il leur faut une action qui galvanise les foules, dit Cathal, quelque chose qui donne envie de les suivre à ceux qui vivent de l'autre côté de la frontière. Quel meilleur endroit que la circonscription de Bobby Sands ? Il leur dresse les grandes lignes du plan qu'ils ont mis au point : un attentat le Dimanche du souvenir. Comment osent-ils honorer des soldats britanniques dans le pays même qu'ils occupent ? Il est temps de rappeler à tout le monde la réalité des choses.

Ils passent au vote. Les hommes lèvent la main. Lui aussi. C'est seulement après qu'ils se sont levés pour retourner jouer aux cartes que Brendan prend la mesure de ce qui s'est passé : tout est allé si vite. Est-ce qu'ils ont vraiment décidé de poser une bombe lors d'une parade civile ?

Dans la voiture, sur le chemin du retour, il se tait, laisse Devine parler. Les mots se perdent. Cette nuit-là, il ne dort pas. La nuit suivante non plus. En une semaine, il réussit à arracher peut-être dix heures de sommeil. Le visage qui le regarde dans le miroir est comme possédé, à croire qu'il n'y a plus personne, plus rien sous ces traits, que ceux-ci lui sont désormais étrangers. Son nez a-t-il vraiment cette forme-là ? Ses oreilles ont-elles toujours été décollées ? Il ne sait pas s'il perd ou prend du poids.

Aux check-points, il marmonne ses réponses, incapable de regarder les soldats dans les yeux, il n'arrive même plus à s'indigner quand ils fouillent son camion. Les jours avancent, et il avance avec eux, les choses se poursuivant d'elles-mêmes. Il est un figurant qui sait où se tenir, que dire, quoi faire. La vie qu'il mène – repas, bains, histoires du soir – lui donne l'impression d'un retour en arrière, d'un récit qu'il débite lors d'un événement futur.

Ils se retrouvent sur la jetée, près de Killadeas. Ils sont cinq. Joe, Cathal, deux gars du sud d'Armagh, et lui. Cathal craignait que leur cache d'armes près de Keady ne soit découverte, aussi a-t-il décidé d'utiliser celle de Brendan sur Namafin. Qui présente également l'avantage d'être pratique pour la suite : ils sont tout près d'Enniskillen. Ils sont arrivés séparément, trois voitures de reconnaissance, deux autres contenant les munitions, les missiles SAM-7, les armes antiaériennes et la bombe. Devine a prévu la route longtemps à l'avance et, les jours précédents, ils ont patrouillé sans relâche, observant régulièrement le flux de la circulation. Brendan et Joe ont couvert la zone de Fermanagh, les gars du sud d'Armagh se sont occupés du reste.

Maintenant qu'ils sont là, un soulagement prudent gagne le groupe. C'est une nuit d'août tiède et étoilée. Le lac est parfaitement calme. Ils ont envisagé de faire des allers et retours à la rame, puis ont opté pour le canot à moteur, ce qui signifie qu'ils peuvent tout faire en un seul voyage, et on n'a jamais vu de bateau patrouiller sur le lac : c'est un vrai trou noir, et c'est bien pour ça que Brendan l'a choisi en premier lieu. Il grimpe dans le canot – qui est à son oncle Frank – et fait démarrer le moteur pendant que les autres chargent les caisses en prenant soin de répartir le poids de manière égale. Ils étendent une bâche par-dessus, la coincent sous les caisses pour plus de sécurité. Brendan tire sur la corde de démarrage, Joe largue les amarres.

Ils s'éloignent du rivage, les hommes se recroquevillent sur les côtés. Le bateau glisse avec souplesse sur les eaux tranquilles, qu'il sépare en deux crêtes lisses et généreuses. Au bout de quelques minutes, malgré les risques qu'ils courent, émerge un sentiment de solidarité fraternelle comme Brendan l'a vu mille fois sur l'eau, le bateau leur donnant un but commun, une sensation d'espace. L'un des gars fait passer une flasque et un paquet de biscuits. Ils mangent et boivent, quelques rires assourdis suivent, même si Brendan n'arrive pas à entendre ce qu'ils disent. Le trajet dure un quart d'heure. Ils mouillent dans la petite crique du côté ouest de l'île, son endroit habituel. Devine et Joe sautent, l'eau leur arrive aux genoux. Il leur lance deux cordes qu'ils attachent autour d'un arbre, rapprochant le bateau jusqu'à ce qu'il touche les galets du fond. Ils débarquent tous. Brendan retire la bâche et ils déchargent les caisses. Le sol autour de l'anse est instable : il utilise sa torche pour leur montrer à quels endroits précis il faut poser leur chargement. Ils travaillent vite. Il demande à Joe d'emmener les gars au bunker tandis qu'il met le bateau en sûreté. Les hommes s'éloignent en grognant sous l'effort. Il leur faudra plusieurs voyages pour tout mettre en lieu sûr, ils devraient en avoir pour une demi-heure. Il vérifie en vitesse qu'il n'y a pas d'activité suspecte alentour.

Quelle belle nuit calme. Il observe les étoiles. Il s'est toujours senti chez lui sur le lac, refuge où le temps passe différemment.

Les hommes reviennent, chargent d'autres caisses. Tandis qu'il les regarde s'éloigner, il perçoit un bruit très discret sur sa droite ; l'entend à nouveau. Un animal, peut-être ? En tout cas pas un oiseau. Il s'approche prudemment. Ce n'est sûrement rien, un morceau de plastique coincé dans les branches. À travers les buissons, il distingue une silhouette dans le clair de lune, un ado maigrichon, son tee-shirt blanc luit presque dans la nuit claire. Il regarde en direction du bateau. Les autres en ont encore pour quelques minutes. Il s'immobilise, songe à laisser le garçon tranquille. Mais le danger est trop grand : il ne peut prendre aucun risque. Si Cathal voit le môme, qui sait ce qu'il est capable de faire ? Il y a quelques mois, ça lui aurait été indifférent, mais la mort de Shane Moore s'est incrustée jusque dans ses os. Il va vers le jeune en essayant de faire le moins de bruit possible. Celui-ci se retourne et Brendan découvre son visage perdu, terrifié. Il le reconnaît. Il l'a déjà vu en ville mais n'arrive pas à le remettre.

« Comment tu t'appelles, fiston ? murmure-t-il en essayant de montrer le plus d'autorité possible, même si ce n'est guère nécessaire – le pauvre gamin tremble de peur.

— Simon.

— Simon comment ?

— Hanlon.

— Tu es le jeune fils de Peter ?

— Ouais, c'est ça.

— Mais qu'est-ce que tu fous ici ?

— Du camping.

— Ben t'as pas choisi le bon endroit. Tu es tout seul ? »

Pause. Le môme doit avoir quinze ans, seize peut-être. Il se montre protecteur, essaie de se comporter en homme.

« Dis-moi la vérité. Si je dois aller vérifier moi-même, faudra que j'appelle les autres.

— Il y a une fille avec moi. Elle s'appelle Esther.

— Tu as amené ici la petite Hollandaise.

— Ouais.

— Elle est enceinte, hein ?

— Ouais.

— Ah putain. Tu as de la chance que ce soit moi qui t'aie trouvé. Retourne dans ta tente. Et pas un bruit. Ne bougez pas avant le matin. Et si jamais tu dis un mot de tout ça, fiston, j'ai pas besoin de t'expliquer.

— Non.

— Bon, tire-toi maintenant. Vite. Et surtout, pas un bruit. »

Les autres reviennent chercher les dernières caisses. Il se joint à eux et ils repartent au bunker. Les gars ouvrent les couvercles des caisses métalliques, s'échangent les munitions, ils sont aussi excités que des gosses. Et particulièrement subjugués par les SAM-7, longs et gris, épais comme des anguilles, fabriqués en Russie, c'est écrit en cyrillique sur la boîte. Ils se les passent, admirent la lumière qui se réfléchit sur leur surface, les traitent avec les mêmes égards que des bouteilles de vieux whiskey. La bombe a sa propre caisse. Ils retirent le couvercle mais ne la sortent pas, ils se contentent de la regarder tel un enfant qui dort. Fabriquée par leur technicien de Ballinamore. Il a entendu Joe parler de cet homme : ils ont pour lui le plus grand respect, c'est un chimiste diplômé de l'université Queens à Belfast. La chose se présente sous forme de deux tubes en plastique, chacun de la taille d'une double gamelle. Cathal soulève les couvercles, leur explique le fonctionnement. L'un des tubes est rempli de pilules roses de nitrate d'ammonium – un engrais – réduites en poudre pour augmenter leur puissance. Dans le second, deux sacs de congélation : l'un contient de la gélignite, l'autre un mélange de diesel, de sucre et de nitroglycérine. Sur le côté, un retardateur électronique, recouvert de film plastique, et dessous deux fils électriques rouges enroulés. Tout ce qu'ils ont à faire, c'est mettre une pile dans le retardateur, l'enclencher et connecter les fils à la gélignite. L'ensemble a l'air inoffensif, c'est nouveau, le genre de truc qu'un ado aurait pu inventer. C'est le retardateur qui frappe Brendan : une petite boîte noire, on dirait un réveil. Pas de place pour l'ambiguïté, pas moyen de revenir en arrière une fois le système enclenché, aucun contrôle des choses ; ils peuvent seulement programmer l'heure, ensuite c'est le chaos.

Le petit Hanlon pourrait les dénoncer, songe à nouveau Brendan. Il ne peut nier qu'une partie de lui l'espère.

Ils quittent l'île. Le lac est tranquille. En dehors des turbulences causées par leurs petites activités, le monde est ferme, défini, hors du temps. Arbres, îles, ciel d'ardoise, lueur des astres piqués sur le firmament. Simon Hanlon. Quinze ou seize ans. À cet âge, Brendan était encore à l'école, il séchait les cours, allait fumer derrière l'abri à vélos, il n'avait pas la moindre idée de ce que la vie lui réserverait.

20

MES CRISES D'ÉPILEPSIE ont cessé. C'est arrivé de manière progressive mais régulière : un atterrissage en douceur. La première semaine où j'ai commencé à écrire, j'en ai fait seulement trois. La semaine suivante, une seule, et celle d'après, aucune. Septembre est là et il y a presque deux mois que je n'en ai pas fait. La ville me semble accueillante à présent, moins agressive ; elle revêt désormais cette lumière particulièrement pure de l'automne. L'atmosphère s'est rafraîchie, les gens transpirent moins, se montrent moins irritables – en tout cas, selon les standards new-yorkais –, et toute l'humidité suintante de l'été paraît comme nettoyée. Les fêtes de rue et les barbecues sont terminés. Les élèves des écoles privées ont retrouvé leurs uniformes, ils s'en vont avec leurs petits sacs à dos tels d'intrépides explorateurs. La routine reprend ses droits. Dans deux semaines, Washington Square sera rempli d'étudiants penchés sur leurs notes, se reposant entre les cours, les étudiants en musique utiliseront les bancs en guise de studios de répétition improvisés.

J'ai l'impression de faire à nouveau partie de cet environnement, d'être un élément de cette horde torrentueuse. Les vides dans ma vie ont peu à peu commencé à se remplir, à se peupler de gens et d'éléments pratiques. Je vais au bureau deux jours par semaine, je réintègre progressivement la place que j'occupais avant, et je suis rassuré par cette dynamique ambiante, la productivité silencieuse qui habite l'espace. Mes collègues, vêtus de leurs confortables tenues de travail, tapent avec aisance sur leurs claviers, transmettent des informations à droite à gauche, échangent des idées, tracent des lignes, font pivoter des formes 3D aux couleurs vives sur leurs écrans. Il s'en dégage une impression d'ordre et d'autorité, d'actions en chaîne rodées permettant qu'un diagramme griffonné puisse au bout du compte devenir un bâtiment, une chose solide que les gens pourront traverser, où ils auront la possibilité de s'asseoir, d'où ils regarderont le monde extérieur : l'impalpable devenu réalité.

Quand j'entre dans une boutique, je ne suis plus captivé par le vaste choix des produits, les formes et les couleurs, les marques, les emballages. L'East River n'est plus qu'un fleuve, les arbres de Seward Park de simples arbres – ils gardent toujours leurs silhouettes et leurs couleurs, leurs feuilles continuent d'osciller avec indolence, mais ils n'ont plus à mes yeux les résonances des mois précédents, ils ne possèdent plus la capacité de mettre à feu mon système nerveux. Tout cela signifie sans doute que je ne suis plus aussi à vif.

J'ai découvert il y a peu une expression japonaise : *mono no aware.* Cela signifie faire l'expérience de la beauté avec une certaine nostalgie, une certaine tristesse, car on sait que ça ne durera pas – une sorte de conscience douce-amère de l'impermanence des choses. Cela me semble adapté, un résumé parfait de mon état d'esprit. Parfois je prononce cette expression à haute voix, pour moi-même. J'aime la sensation de ces mots sur mes lèvres, *mono no aware* – les uns corroborent l'autre –, et je trouve ça tellement rassurant qu'une autre culture, il y a des siècles de cela, ait inventé une expression si précise.

Naturellement, je suis heureux de cette rémission. Je n'ai pas la moindre garantie que je ne serai pas à nouveau terrassé par une crise à n'importe quel moment ; tout pourrait s'embraser demain, ou dans une heure, alors, la conscience douce-amère de quoi que ce soit sera le cadet de mes soucis. Je me rappelle constamment qu'il me faut apprécier le simple fait de me sentir bien, même si c'est temporaire. Aucun chirurgien ne viendra me triturer la cervelle – en tout cas pas dans un futur proche – et le docteur Ptacek a réduit mes médicaments. Pourtant, je ne peux me départir du sentiment que je me sens moins vivant, que je suis devenu aveugle face au flot constant de micromiracles qui se produisent autour de moi à tout moment de la journée.

J'ai vu Esther ce matin. La semaine dernière, je lui ai envoyé mon texte par mail. Je ne sais pas trop pourquoi, peut-être avais-je besoin de son approbation. Je n'ai personne d'autre à qui le faire lire. Sans doute désirais-je avoir la permission d'écrire sur elle.

Elle m'a appelé hier, m'a dit qu'elle allait venir me voir. On s'est donné rendez-vous sur les marches du Met. Elle était en avance. En remontant la Cinquième Avenue, je l'ai aperçue de loin, assise sur les marches, qui m'attendait. Elle avait l'air tellement en paix, même à cinquante mètres de distance. Les bras en arrière, appuyés sur une marche, elle avait relevé la tête vers le ciel, les yeux clos, et sa longue jupe s'étalait devant elle, dissimulant ses jambes. Elle n'a pas bougé lorsque je me suis approché et que je lui ai dit « Salut ». Elle n'a pas répondu, et s'est contentée de sourire en sentant que je m'asseyais à côté d'elle. J'étais loin d'être aussi calme qu'elle ; mon esprit était en roue libre. J'étais nerveux, j'ignorais ce qu'elle avait pensé de mes gribouillis. J'avais envie de lui poser la question, mais je ne voulais pas rompre la paix environnante. Elle m'en parlerait quand elle serait prête.

Enfin, elle a ouvert les yeux. « On y va ? » a-t-elle demandé en se levant et en lissant sa jupe.

Après avoir passé la sécurité, elle a consulté un plan du musée.

« Tu sais ce qu'on va voir ? ai-je demandé.

— Oui. » Elle m'a dit que d'habitude, elle choisissait une salle au hasard, puis une peinture, et qu'elle restait assise là à la contempler. C'est pour elle la seule manière d'appréhender un musée de la taille du Met.

« Mais pas aujourd'hui, ai-je dit.

— Non, aujourd'hui, on va visiter la galerie 2-18. »

On a payé l'entrée et grimpé l'escalier principal, cherchant notre chemin à travers un labyrinthe de salles, jusqu'à ce qu'on arrive à destination.

La salle en question est l'une des plus petites du musée. Esther n'a pas eu besoin de préciser quel tableau elle voulait me montrer. Les murs étaient couverts de paysages ennuyeux – des chèvres gambadant sur des pelouses manucurées, des joueurs de luth –, à une exception près, une toile de Georges de La Tour, *Madeleine pénitente*, ou *La Madeleine aux deux flammes*. Elle n'était pas très grande, mais elle dominait la salle ; sa puissance était telle qu'à côté, les autres œuvres étaient sans intérêt. Je croyais qu'Esther allait me parler du contexte, m'expliquer cette peinture, mais elle n'en a rien fait, elle s'est juste assise sur le banc pour la contempler. Je l'ai suivie.

J'avais déjà vu ce tableau dans un livre d'art. Il est très sombre. C'est une représentation de Marie Madeleine devant une table de nuit. Sa jupe rouge est la seule couleur vive parmi des tons éteints : blancs, bruns, dorés. Sur la table, une chandelle devant un miroir. On dirait que Marie Madeleine se prépare à aller se coucher : ses vêtements sont défaits, sa blouse détachée. Ses cheveux lisses viennent d'être brossés. Sur ses genoux, un crâne, qui regarde devant elle, un *memento mori*. Ses mains sont posées dessus, ses doigts entremêlés.

Je me suis rappelé ce que j'avais lu à propos de Marie Madeleine. C'était une femme en souffrance, dont les démons furent chassés. Je me souvenais qu'elle était la première à avoir vu Jésus après sa résurrection. En entrant dans le tombeau, elle avait trouvé deux anges assis là où gisait le corps, puis elle avait pris le Christ ressuscité pour un jardinier.

Dans cette toile, son visage tourné est plongé dans l'ombre, mais il est évident que c'est une femme encore jeune. Son regard est orienté par-dessus les flammes jumelles. Comme si elle voyait quelque chose au-delà, sous un angle différent de celui du regardeur, frontal. Elle a les lèvres entrouvertes, mais rien ne laisse penser qu'elle puisse parler ; au contraire, elle incarne le silence. Il m'a semblé qu'elle était assise là, sans bouger, depuis longtemps.

« Pourquoi celui-là ? » ai-je fini par demander.

Esther n'a pas répondu, mais elle m'a surpris en posant la tête sur mon épaule.

« "Pénitente", quel titre étrange. Elle n'a pas l'air d'éprouver de regret », a-t-elle dit doucement, sans pour autant murmurer, mais à voix suffisamment basse pour que je sois le seul à l'entendre.

« Oui c'est vrai, tu as raison. »

Elle a relevé la tête et continué à contempler la toile.

« Je suis tombée sur cette œuvre par hasard. Bien sûr, je la connaissais, je l'ai vue dans des livres, mais je suis tombée dessus par accident un jour, et ça m'a permis de comprendre quelque chose. »

Elle a pris un moment pour réfléchir.

« D'abord, je l'ai aimée parce qu'elle est intime, c'est un moment très privé. Je suis revenue encore et encore parce que je la trouve apaisante. C'est une femme qui pense à quelqu'un qu'elle a aimé et perdu. Au bout de plusieurs visites, j'ai réfléchi à nouveau au titre. Et je me suis dit que peut-être elle ne méditait pas sur quelque chose qu'elle avait fait, mais sur quelque chose qu'elle n'avait pas fait. Elle n'a pas l'air d'être dans le regret parce qu'elle est en paix avec ça. Elle a déjà fait pénitence. Son expression est celle de l'acceptation. »

Puis elle s'est tournée vers moi et a dit doucement : « Simon, tes pages sont remplies de culpabilité. Tu as inventé une autre vie tout entière pour essayer de comprendre pourquoi cet attentat avait eu lieu. Mais ça ne change rien. Ce qui est arrivé est arrivé. Tu n'es pas responsable de ces morts, pas plus que tu n'es responsable de la mort de ta mère.

— Je ne l'ai pas inventé. J'ai juste arraché un personnage à l'éther. Il est venu à moi. Et pour ce qui est de ma mère, ce n'est pas la même chose. Je ne pouvais pas empêcher sa mort, en revanche peut-être que j'aurais pu empêcher ce qui est arrivé ce jour-là, à Enniskillen. J'aurais dû en parler à quelqu'un.

— Tu avais peur. Tu n'étais qu'un gosse. L'homme que tu as rencontré sur cette île, tu ne savais pas qui c'était, ni comment il s'appelait. Tu ignorais ce que ces gens faisaient là-bas. Tu n'es pas sûr qu'ils soient liés à l'attentat.

— Tu sais ce que j'ai vu.

— Et toi, tu sais ce que tu crois avoir vu. Et tu n'avais personne à qui parler, personne à qui demander conseil. Tu essayais de protéger tout le monde autour de toi : moi, les Irvine, ton père. Tu ne peux tenir un garçon de quinze ans responsable de tant de choses, c'est trop lourd à porter. Et tu as supporté ça tout seul.

— Si j'en avais parlé à quelqu'un, ils auraient dû aller vérifier. Ils auraient constaté ce qu'il y avait dans ces caisses. Cela aurait pu éviter l'attentat.

— Qui aurait sûrement eu lieu quand même. Peut-être pas à Enniskillen, mais ailleurs. Un mouvement est un mouvement, il a sa propre ligne directrice. Ils auraient trouvé un autre moyen, une autre opportunité.

— Ce n'est pas vrai.

— Simon, écoute-moi. La paix ne peut advenir qu'après les jours les plus sombres. Écoute ce que je te dis, je le sais. Les choses obéissent à leur propre logique. Tu ne peux changer le passé, même si tu y mets toutes tes forces. »

J'ai senti une vague monter en moi. Un instant, j'ai cru que j'allais faire une crise, mais à la place j'ai fondu en larmes, librement, sans me cacher. Je pleurais et je tremblais ; je tremblais et je pleurais. Esther me tenait dans ses bras, et je m'y suis niché, redevenant un enfant, des années de chagrin se sont déversées. Des années de regret envers ma mère, envers mon père qui n'avait jamais réussi à me parler, envers les restrictions de mon enfance, les mots chargés, les inflexions dangereuses, les tensions intérieures que j'avais dû supporter : tout a soudain déferlé. Tout ce chagrin sans mélange, jamais accepté, que j'abritais en moi depuis des décennies.

J'ignore combien de temps on est restés là. À New York, on peut pleurer ouvertement sans que quiconque réagisse. Le gardien est demeuré à sa place sans nous prêter attention. Les gens passaient autour de nous, fixaient les chèvres et les joueurs de luth, sans que cela perturbe leurs conversations.

Plus tard, je suis rentré à pied chez moi, j'ai descendu la Cinquième Avenue jusqu'à Washington Square, pris les petites rues de SoHo, puis à gauche sur Spring Street, sous l'œil des mannequins dans les vitrines. J'ai repensé à la *Madeleine pénitente,* à l'orientation de son regard. Elle scrutait l'espace au-dessus des deux flammes en direction de quelque chose situé au-delà de la pièce et de son reflet, au-delà de la réalité binaire, où une autre vérité était possible.

Ce soir, les métros roulent toujours sans hâte sur ma droite, avant de se glisser dans les entrailles du pont. Les passagers continuent de sursauter en me voyant. Demain je ne serai plus qu'un souvenir, je ne serai plus l'une de ces vies vacillantes, comme dans un film, qui font le décor des trajets en métro aérien. Demain matin, je déplacerai mon bureau loin de la fenêtre. La semaine prochaine, ou peut-être la suivante, je me mettrai à la recherche d'un logement plus stable, où je puisse accrocher des tableaux et disposer des tapis. Je pourrais bien devenir un vrai New-Yorkais et même prendre un chien.

Un jour j'ai lu cette phrase qui disait : « L'opposé de l'amour n'est pas la haine mais la séparation. » Quand je pense à Camille, à ces derniers mois et à ce dernier trajet presque fatal, je me demande ce qui serait arrivé si, après avoir garé la voiture ce soir-là, j'étais rentré à la maison, dans notre appartement de Clinton Hill, pour essayer de réparer tout ce qui avait été brisé. Partir ainsi était cruel, lâche, et cela m'apparaît toujours ainsi aujourd'hui, même si c'était la bonne décision. Et c'est en écrivant ces mots que je m'aperçois que ma fenêtre donne en direction de Brooklyn, de Clinton Hill, et que toutes ces nuits passées là, seul à mon bureau, sont aussi une manière de me relier à ce souvenir d'elle, à cette femme, ma femme, qui est sortie de la voiture pour remontrer dans notre appartement où elle s'est assise après avoir mis la bouilloire à chauffer, attendant que son mari passe la porte pour tout recommencer.

La maison de Lisnarick est à nouveau en vente. Sur le site de l'agence immobilière, je vois les changements qui y ont été apportés. Les gens qui l'ont achetée après la mort de mon père ont installé un porche devant la porte d'entrée pour se protéger de la pluie. Les fenêtres sont encadrées de treilles de chaque côté, sur lesquelles poussent des plantes grimpantes, égayant la façade. La cuisine a été ouverte sur la salle à manger et de grandes baies vitrées ont été ajoutées. La lumière entre à flots. L'ensemble dégage tant d'espoir, de liberté, et puis ce putain de néon a été enlevé, remplacé par des spots à LED tellement plus jolis. Les placards de la cuisine sont modernes, les plans de travail en acier.

Le jardin a été paysagé, et je suis heureux de constater qu'ils ont conservé le mur qui l'entoure et le grand châtaignier dans lequel je grimpais autrefois. Dans la salle de bains se trouve désormais une grande baignoire en métal couleur lilas, et de larges carreaux gris ont été posés du sol au plafond. Dans ma chambre, on a enlevé le papier peint ; c'est plus propre, plus clair, murs blancs et plancher sombre, avec un lit king size qui, j'imagine, ne grince pas quand on s'assoit dessus.

Je me vois dans ce grand lit confortable, dans cette pièce toute blanche. L'environnement a changé mais je suis toujours le même. Un adolescent gauche et solitaire. Visage juvénile. Cheveux gras. Je repousse la couette et descends l'escalier d'un pas traînant jusque dans le salon où je m'approche de la pendule dorée posée sur la cheminée. J'ouvre le devant de l'horloge et je tourne les aiguilles en arrière jusqu'au samedi 7 novembre 1987, alors les murs disparaissent et je me retrouve dans un immense espace blanc semblable à ce lac salé qu'on trouve en Utah, l'espace des possibles s'étend dans toutes les directions. À ma gauche, mon père est vautré dans son fauteuil. À ma droite, derrière moi, Brendan McGovern apparaît dans la glace, il me murmure sa question, me demande mon nom.

Et mon père répond : *Simon.*

Et mon père me demande si j'aimerais aller assister à la parade du Dimanche du souvenir au matin.

Je me tourne et je regarde le miroir. J'y vois Belmore Street. C'est la nuit. La rue est déserte, à l'exception de deux silhouettes, celles de Brendan et Joe McGovern qui se dirigent vers les Salles de lecture. Ils portent des vêtements sombres et des baskets à semelles souples. Le soldat sur son piédestal les contemple sans réagir, sentinelle assoupie à son poste. Joe transporte le sac de sport, il tient un revolver dans sa poche. Brendan a une torche dans la main gauche. Ils arrivent devant la porte des Salles de lecture. Brendan tourne doucement la poignée, pousse avec l'épaule. La salle principale est plongée dans le noir, tous les éléments de la soirée bingo sont encore là.

Brendan allume sa petite torche. Une faible lueur monte du sous-sol, des voix. Ils avancent très prudemment, ainsi qu'ils l'ont appris, équilibrant leur poids à chaque pas. Le parquet craque.

Ce serait le pire moment pour se faire prendre ; impossible de s'en sortir. Joe tient le revolver à la hauteur de sa cuisse. S'ils sont dérangés, ils se sont mis d'accord, c'est Brendan qui parlera. Mais celui-ci est à peu près sûr qu'il n'aura pas à le faire. Joe tirerait sans remords s'il le fallait. Brendan entend des voix en bas, une discussion ordinaire. Il ne distingue pas les mots, mais ça n'a pas d'importance : tant que le ton de la conversation reste régulier, ils ne seront pas dérangés.

Ils avancent encore de quelques pas. Le plancher craque à nouveau, les voix se taisent : les deux frères ne bougent plus. À travers les planches, Brendan voit des silhouettes autour de la table. Elles sont immobiles. En silence, il les supplie de ne pas bouger. La conversation reprend.

Ils arrivent à l'escalier. Là, les lattes sont plus courtes, il y a moins de jeu, donc moins de risque qu'elles grincent. Ils touchent au but. Dans la petite pièce, Joe pose le sac sur un banc, programme le retardateur, remet tout en place, referme le sac et le glisse dans un réduit sous l'escalier. Il hoche la tête, fait un signe avec son revolver : il est temps d'y aller. Brendan recule, laisse passer son frère aîné.

À nouveau, il regarde le sac. L'observe dans son coin. Dormant. Prêt à tout détruire alentour.

Une impulsion, et il soulève le sac. Doucement. Il sait combien il pèse – pas si lourd quand on sait ce qu'il contient, son potentiel. Il le prend et se retourne. Joe est à mi-chemin du couloir. Il s'est arrêté et regarde son petit frère. Brendan ne distingue pas son visage, juste sa silhouette. Il sait que Joe ne peut pas l'arrêter. Le contenu du sac est trop fragile, la situation trop délicate. C'est le cadet qui détient le pouvoir à présent, il le tient entre ses mains. Joe enfouit ses doigts dans ses cheveux. Frustration ? Peur ? Stupéfaction ? Qu'importe. Seul le sac compte.

Il dépasse son frère. Joe aboie tout bas, mais Brendan l'ignore.

En s'approchant de la sortie, il entend une chaise qui crisse sur le sol. Une voix qui appelle d'en bas, au pied de l'escalier. Aucune urgence : il atteindra la porte. Joe n'ouvrira pas le feu, pas alors que l'équilibre est aussi précaire.

Brendan arrive à la porte, l'ouvre. Il sort. Personne aux environs. Les étoiles brillent. Il s'avance dans la nuit, le sac bien en main, un tic-tac d'horloge à l'intérieur, constance rassurante du bruit, murmure d'un cœur fragile.

Note de l'auteur

Si *Le Dimanche du souvenir* est une œuvre de fiction, l'histoire s'enracine dans un drame réel dont je ne doute pas qu'il reste encore bien présent dans la mémoire des survivants, mais aussi dans celle des proches des victimes. Chaque acte de violence détruit une infinité de possibles. Pour la ville d'Enniskillen, le 8 novembre restera à jamais lié aux atrocités commises par l'IRA.

Tous les personnages de ce roman sont le fruit de mon imagination. Quelques personnages existants sont nommés mais j'ai toujours pris soin de ne jamais présumer de leurs actions, de leurs pensées et de la manière dont ils ont mené leur existence.

Je voudrais citer les ouvrages qui m'ont aidé dans mes recherches. *Killing Rage,* les mémoires de Eamon Collins, un ancien membre de l'IRA, m'a été très utile pour construire le personnage de Brendan McGovern, notamment ce qui relève du contexte historique et du processus de radicalisation.

Pour le passage qui décrit la partie de poker dans le sous-sol de l'église, je me suis inspiré de *Enniskillen : the Remembrance Sunday Bombing* de Denzil McDaniel. Cette anecdote, et d'autres encore que j'ai pu glaner dans cet ouvrage, ont été essentielles à ma restitution de l'attentat. Pour le personnage de Simon Hanlon, je me suis inspiré de *Lough Erne* d'Alain Le Garsmeur et Keith Baker. Pour tout ce qui a trait à l'IRA et à la vie en Irlande du Nord durant les Troubles, je me suis plongé dans la lecture de *Making Sense of the Troubles* de David McKittrick et David McVea, *Bandit Country* de Toby Harnden, *Rebel Hearts* de Kevin Toolis, *The Troubles* de Tim Pat Coogan et *The Lost soul of Eamonn Magee* de Paul Gibson.

La plupart de mes réflexions concernant les neurosciences trouvent leur source dans deux livres du neuropsychologue Paul Broks, écrits à quinze ans d'intervalle. Le premier, *Into the Silent Land,* m'a permis de mieux comprendre le test de Wada et a été un excellent compagnon au cours de mon périple dans les méandres du cerveau. Le second, *The Darker the Night, the Brighter the Stars,* a complètement modifié ma compréhension de la conscience, tout comme les écrits de Riccardo Manzotti, notamment *Dialogues on Consciousness,* écrit en collaboration avec Tim Parks.

C'est grâce à l'ouvrage *A Smell of Burning* de Colin Grant et *Behavioural Neurology and the Legacy of Norman Geschwind,* édité par Steven C. Schachter et Orrin Devinsky, que j'ai pu mieux appréhender l'histoire de l'épilepsie et l'acception que l'on en a aujourd'hui, et je tiens à remercier particulièrement Orrin Devinsky pour son aide. Le récit de son expérience personnelle de l'épilepsie ainsi que celui de Kate Picco m'ont été précieux.

J'ai pris connaissance de l'histoire entre Van Gogh et Adeline Ravoux dans *Van Gogh à Anvers* de Wouter van der Veen et Peter Knapp.

La citation de *L'Idiot* est tirée de la traduction de Richard Pevear et Larissa Volokhonsky. Celle de Marx et Engels est tirée de *The Classics of Marxism : Volume One,* publié par Wellred Books. La phrase « L'opposé de l'amour n'est pas la haine mais la séparation » provient de *And Our Faces, My Heart, Brief as Photos* de John Berger.

À Chinatown, j'ai pu compter sur le soutien du Knickerbocker Village Senior Center, en particulier celui de Mary Springer. Je remercie aussi mes anciens collègues du Visiting Nurse Service de New York, et plus spécialement Hing Sit et Erica Chan, ainsi que Charles Leung qui m'a généreusement présenté aux habitants de Chinatown.

Je remercie aussi nombre de lecteurs attentifs : Isobel Harbison, John Ptacek, Sujata Shekar, Téa Obreht, Hari Kunzru,

Nathan Englander, Leo Duncan, Caroline Ast, Tanya Ronder et mes éditeurs Mary Mount et Brendan Barrington.

Nora Hickey M'Sichili, Nick Laird, Carlo Gébler m'ont très aimablement fait partager leur expérience de la vie à Enniskillen et dans ses alentours.

Je remercie également la Fondation Civitella Ranieri, le Centre culturel irlandais, l'institut Dora Maar et la villa Marguerite Yourcenar, ils m'ont offert le temps et l'espace pour écrire à un moment où j'en avais particulièrement besoin. Je suis également reconnaissant au Art Council of Ireland pour leur aide financière.

Je remercie Caspian Dennis et toute l'équipe chez Abner Stein.

J'ai une pensée particulière pour France Coady, qui m'a été d'un immense soutien tout au long de l'écriture et de la publication de ce roman.